P9-CIT-000

Colección de Teatro
dirigida por José Monleón

7. JORGE DIAZ

TAURUS Ediciones, S. A.
Claudio Coello, 69 B - MADRID-1
Depósito legal: M. 15652-1967
PRINTED IN SPAIN

JORGE DIAZ

LA VISPERA DEL DEGÜELLO
EL CEPILLO DE DIENTES
REQUIEM POR UN GIRASOL

TAURUS Ediciones

A BLAS y ASCENSIÓN,

que me dieron de comer y de beber
cuando flaquearon mis fuerzas
en Madrid.

I. CONTEXTO DE UN DRAMATURGO

JORGE DIAZ, UNA VERSION DE LATINOAMERICA

por José Monleón

(Ateniéndonos al dato histórico, habría que decir Hispanoamérica y no Latinoamérica. Pero esta última palabra, aparte de ser la más utilizada, tiene unos matices que quizá no estén en el término, más escueto y recortado, de Hispanoamérica. El concepto de Latinoamérica nos permite englobar el Brasil y, sobre todo, alude a una vinculación cultural con toda la cultura latina —pensemos, por ejemplo, en la influencia de Francia— susceptible de ricas interpretaciones frente a la América puritana y desarrollada del Norte, de raíz anglosajona.)

El teatro chileno nos fue revelado, más allá de las aproximaciones ocasionales y puramente literarias, por el Teatro de Ensayo de la Universidad Católica de Chile, durante su breve temporada en el Español, de Madrid. Montaron tres obras: *Deja que los perros ladren,* de Sergio Vodanovic; *Versos de ciego,* de Alberto Heiremans, y *La pérgola de las flores,* una popular opereta de Isadora Aguirre y el maestro Flores del Campo. Sucedió esto en la primavera de 1961, y la mayor parte de la crítica madrileña encontró unas u otras razones para sentirse deslumbrada.

Ciñéndonos a los textos, a la condición literaria de las obras, podría decirse que el breve repertorio de la compañía chilena esquematizaba tres dimensiones o vías básicas del teatro tradicional: *Deja que los perros ladren,* como denuncia sociopolítica, nos remitía a las formas naturalistas de nuestro «teatro social»; *Versos de ciego,* por su intemporalismo y su emocionalidad, a un «teatro poético» entrecruzado con las nuevas técnicas expresivas de la llamada Vanguardia; finalmente, *La pérgola de las flores* sonaba a zarzuela renovada, a género chico engrandecido sin perder su ingenuidad popular.

Hasta aquí, el que más y el que menos pudo decir que el teatro chileno era un «desarrollo» del teatro español. O, como escribió Prego en un buen artículo, «un nuevo teatro español». Sin embargo, a poco que se profundizase, surgía una realidad antagónica a la que define nuestra vida teatral. Ya el que una Universidad sostuviese una compañía de este tipo implicaba un orden de relaciones entre el teatro y la sociedad que aquí no se ha dado nunca. Ciertamente, en el plano teórico, refrendado por algunas compañías de teatro universitario, de actuación discontinua y calidad discutible, el vínculo cultural entre teatro y Universidad nadie lo ha negado; pero, en la práctica, y quizá por el clasismo burgués que ha dominado casi siempre en la Universidad española, a nuestro teatro universitario le ha sucedido lo mismo que a nuestro teatro en general: que no ha sido capaz de abordar un ensayismo serio no ha tenido medios para proyectarse responsablemente sobre nuestra sociedad. El ensayismo se ha quedado en la audacia de algún director de escena. Y su proyección cultural sobre el pueblo en alguna escapada a las pequeñas ciudades, con espíritu de autojustificación más que otra cosa.

Así tenía que ser, porque la Universidad y el Teatro son, entre nosotros dos creaciones de una misma clase social. Y no, iba a haber solidaridad y visión cultural del teatro en la Universidad y visión mercantil e insolidaria en la vida teatral cotidiana. Nosotros tendremos un buen teatro universitario el día que las relaciones entre teatro y sociedad sean correctas, lo cual presupone, probablemente, una nueva estructura de las relaciones laborales y económicas.

Imaginar que el Teatro de Ensayo de una Universidad Católica es el heredero de nuestras compañías en gira y de nuestros repertorios —bastaría recordar, a estos efectos, y por acudir a un hombre de probado conformismo, cuanto dijo Jacinto Benavente sobre la obligada mediocridad de un teatro totalmente dominado por la alta burguesía madrileña de la época— de mayor éxito, sólo es posible si aceptamos que, en determinado punto de la transmisión hereditaria, ha ocurrido algún hecho violento.

Para un grupo de españoles, la cuestión puede abordarse con sólo mirar lo que aquí está sucediendo. Porque también aquí, frente a la herencia entendida como un patrimonio teatral respetable, los hay que ven en éste un peso, del que es necesario, para aprovechar algo, desglosar pronto lo útil y vivo de lo retórico y negativo.

Indudablemente, los países latinoamericanos, independientes y liberados del dogma de la continuidad de la escena española, han podido, en buenas condiciones, plantearse ese análisis crítico del teatro español. Lo vino a decir, más o menos, Eugenio Dittborn, el director del Teatro de Ensayo de la Universidad Católica de Chile: «El teatro chileno ha surgido como una respuesta al teatro español que nos visitaba o vivía entre nosotros.» Es decir, una réplica que programó sus conquistas, su plan de trabajo, en función de las deficiencias de las compañías españolas. Y que llegó, en esta subversión de los rasgos teatrales de la vieja metrópoli, a vincular —en el caso de Chile— sus dos mejores compañías a las dos grandes Universidades del país: la Universidad Católica y la Universidad del Estado.

Está clarísimo que tales vinculaciones entrañan, en el mismo punto de partida, la aceptación de una serie de compromisos. Una formación técnica en el marco de una Universidad, por muy especializada que sea, significa, no sólo un conocimiento teórico-práctico de los elementos de la expresión teatral, sino una integración en la vida cultural del país. Supone un trabajo en equipo y dentro de unas elaboradas directrices. Supone un trabajo seguro, a largo plazo, sin la típica angustia del contrato para cada obra y el temor a las semanas de paro. Significa una publicidad razonable, que no maneje la obra como un producto que es necesario vender a toda costa. Entraña un régimen laboral sensato. Determina, en resumen, una responsabilidad cultural que no se cubre con el éxito. Los teatros de la Universidad son, en ese orden, vulnerables, por cuanto existen para cumplir una función cultural al servicio del país...

Si comparamos estos teatros universitarios con nuestros actuales teatros nacionales, percibiremos importantes diferencias. En España, los teatros subvencionados no tienen aún escuelas propias, ni equipos artísticos de larga permanencia, ni una personalidad definida e independiente. Algo parece que se va ganando, pero muy dificultosamente, con demasiadas supeditaciones a la Administración, y sin haber superado el paternalismo vigilante de los más conservadores.

También podría decirse —como yo he oído a Jorge Lillo y a Eugenio Guzmán, dos directores del Instituto del Teatro de la Universidad de Chile— que el amparo universitario no garantiza la calidad y vigor sociológico de las compañías. En otras palabras, que el paso del tiempo y las circunstancias políticas del país pueden llegar a imponer un tono burocrático, culturalista y poco generoso, a los programas y montajes de los teatros universitarios. A fin de cuentas, pienso yo, este es el mal de tanta empresa de signo social o socialista. La ventaja en tales casos estará siempre en que se trata de una deformación de las bases de partida, de una falsificación que se rectifica con la verdad y el adecuado cumplimiento de los fines de la institución, mientras que en el teatro de empresa privada y compañías organizadas con vistas a la simple explotación de una o varias obras, los males sociales y estéticos son congénitos, y nada cuenta como el éxito; es decir, los rendimientos de la inversión económica. Diríamos, en otros términos, que si en un teatro subvencionado por la sociedad y para la sociedad —en el sentido de pueblo, o totalidad— cabe el error, también en un teatro mercantil y privado cabe el própósito cultural. Hay tantos ejemplos como se quiera, pero, atendiendo a su estructura, se tra de teatros situados en planos distintos, nacidos con objetivos distintos, encuadrados en épocas históricas sucesivas: la individual, que somete la cultura a la ley económica del más fuerte, y la social, que hace de la cultura una propiedad colectiva.

No es necesario insistir aquí sobre los elementos que animan un teatro de financiación privada, sin más atractivo esencial que el económico, y ese otro donde el hombre de teatro se siente un servidor de la sociedad. Esta era, precisamente, la distancia que había entre una de nuestras viejas compañías en gira por América y el grupo universitario con el que entró en España el teatro chileno. Cada uno de nosotros podía opinar diferentemente sobre el valor de los textos y las puestas en escena de los chilenos, en sí mismos y dentro de una política teatral subvencionada. En lo que no había duda es en que el Teatro de Ensayo de la Universidad Católica de Chile nos traía un modo nuevo de afrontar el hecho escénico, una armonía entre el «profesionalismo» y el «amateurismo», una preocupación artística ligada a una inquietud sociológica, que, para muchos ,era un importante, tangible, real, corrector y nuevo fenómeno en el teatro en lengua española. Si habíamos leído algunas cosas sobre el particular, referidas al «teatro independiente» argentino, o a los movimientos similares surgidos en varios países de América latina, lo cierto es que era la primera vez que ese espíritu dominaba uno de nuestros escenarios.

Lo que vimos en el Español —y era todo un símbolo que el hecho ocurriese en el más venerable de nuestros escenarios, el que se destina desde hace años a los clásicos— respondía, en tanto que hecho escénico, y al margen de la mayor o menor calidad de sus valores dramáticos, a un trabajo colectivo, a un espíritu anticlasista, a un amor al público y a la perfección, que mejoraban revolucionariamente el patrón de nuestras antiguas compañías en viaje por América.

De algún modo, el teatro chileno se religó a nosotros a través de la crítica implícita del teatro español. Confirmó, sin apelación, algo que ya intuíamos: la necesidad de que nosotros, los españoles, contemos con el teatro latinoomericano para alcanzar mejor una serie de exigencias comunes a los escenarios más serios del mundo. Supimos aquella noche que la latinoamericanidad es un concepto de gran importancia para nosotros, no al modo de la grosera retórica de nuestros viejos políticos, sino en tanto que implica una peculiar actitud de rebeldía y conquista, una impaciencia sociocultural común a todo el ámbito de lengua española.

El fenómeno concreto del teatro chileno se nos clarificó. Supimos de otros grupos, sin subvención, trabajando con un espíritu de equipo análogo al que nos había mostrado el teatro universitario. Entre ellos estaba el I.C.T.U.S. respetado por todo el mundo. Hacían sus funciones en una salita pequeña, y habían lanzado a un nuevo autor chileno, Jorge Díaz, también actor y excelente escenógrafo.

Al principio, el nombre de I.C.T.U.S. y las interpretaciones esquemáticas que la crítica realista hizo del llamado «teatro de vanguardia» —al que se adscribió, con cierta ligereza, la obra de Díaz—, provocaron un juicio simplista sobre el nuevo autor. Aún hay quien lo sostiene. Aunque las últimas obras y, sobre todo, el hecho de que su *Topografía de un desnudo* haya sido finalista en el Premio de la Casa de las Américas del 66 —donde sólo perdió por dos votos contra tres frente a *Heróica de Buenos Aires,* de Dragún—, ha obligado a sus detractores a una revisión de los juicios.

Por mi parte, como otros muchos críticos, tengo a Jorge Díaz por un gran autor desde que, hace ya algún tiempo, conocí *El velero en la botella,* un drama excelente que no hemos incluido aquí por haber sido recientemente publicado en la revista *primer Acto.*

El hecho de que Jorge Díaz se encuentre en Madrid desde hace más de un año y haya estrenado aquí *El cepillo de dientes* y *Réquiem por un girasol,* ambas incluidas en este volumen, es la prueba más clara y reconfortante de que esa nueva latinoamericanidad, a que antes me refería, existe. Si él está aquí, y aquí le necesitamos, es en función de una comunidad cultural proyectada hacia el presente y el futuro, en la que Jorge Díaz es tan nuestro como de cualquier otro pueblo de lengua española.

LA LATINOAMERICANIDAD

¿Qué es la latinoamericanidad? O, siquiera, ¿cómo la entiende Jorge Díaz, y en qué sentido su concepción nos vale a nosotros, los españoles?

La primera exigencia ha de ser la ruptura de toda relación paternal. Ciertamente hay un pasado cultural de varios siglos en el que España. en tanto que país dominador, impuso su idioma y su cultura. Pero, desde la perpectiva de cualquiera de las antiguas colonias, dicho período, por fundamental que se estime, se integra en un curso de bases autóctonas. Existe un período precolonial, luego una larga etapa en la que la cultura colonial se une a la impronta de cada país y aún a las distintas influencias paralelas a la española —por ejemplo, en Cuba, todos los factores africanos de que son portadores los esclavos—, y, por último, un período postcolonial de independencia, en el que, por lo común, la actitud nacionalista que ha sido precisa para vencer al conquistador acarrea un planteamiento cultural del mismo signo. Se rechaza la unidad «oficial» del viejo Imperio y cada país busca afanosamente sus rasgos diferenciales, a costa, incluso, de exagerarlos e incomunicar y distanciar lo que, en realidad, está cerca. La Latinoamérica que hoy importa surge después de esta primera etapa de independencia. Cada país asume los siglos de colonia como un hecho histórico consumado, con sus factores positivos y sus factores negativos. Se trata ahora de incorporarse a la vida internacional, a la cultura internacional, desde ángulos mucho más ricos que el derecho a una bandera y a una frontera geográfica. Se trata de subvertir, o modificar, el viejo concepto, según el cual la independencia de la metrópoli española era una conquista capaz de llenar varios siglos de historia: para muchos pueblos de Latinoamérica esto sólo era, sólo debía de ser, el comienzo. Es la hora de revisar las relaciones económicas, la situación de las clases sociales, la distribución de la propiedad, y, en un orden internacional, la nueva dependencia económica —y, por tanto, política— de los Estados Unidos.

Toda esta problemática social, que sacude ahora, en mayor o menor grado, a los países de América latina, repercute de inmediato en los planteamientos culturales. Después de muchas décadas de un teatro que se miraba en los espejos europeos o norteamericanos, surge, al fin, la necesidad de teatros auténticamente nacionales, derivados no ya de las correspondientes burguesías, sino de las raíces generales de cada pueblo.

El fenómeno conduce, de algún modo, a la latinoamericanidad. Porque mientras las clases sociales que conquistaron la independencia se muestran, al mismo tiempo, celosas de sus fronteras y dóciles ante las sumisiones económicas, la nueva situación tiende a invertir la problemática: unidad o interdependencia de los pueblos latinoamericanos, situados en fases análogas de explotación y subdesarrollo, y certeza de que la auténtica independencia —la social y humana, no la legal— exige la liquidación de los viejos convenios económicos entre los Estados Unidos y las minorías capitalistas de cada país.

Dentro de este esquema socioeconómico hay que situar la latinoamericanidad, y no sobre el discurso académico de una herencia cultural. Ciertamente esa herencia existe. Pero en América latina hay aún muchos millones de analfabetos y miserables. Y la fuerza dinámica y futura de la latinoamericanidad está, precisamente, en el acceso de todas esas masas a una realidad determinante y activa.

¿Cuál es la posición de Jorge Díaz dentro de este marco? Respondiendo a una pregunta sobre el tema, dijo:

—Ni mi lenguaje es absolutamente chileno, ni incluso mis temas son absolutamente de Chile. Yo me siento inconscientemente vehículo de una expresión latinoamericana. Esos son los temas que me interesan, no precisamente los temas chilenos, locales. Y muchos críticos me han reprochado en mi última obra, no la ignorancia, porque se supone que no lo puedo ignorar, sino la indiferencia ante un lenguaje coloquial chileno, cuando la situación aparentemente lo requería. Pero a mí me sucede eso: las presiones que dentro de mí siento, que me mueven a escribir, las grandes ideas y emociones básicas que me impulsan a expresarme no tienen nacionalidad, pero las siento comunes a muchos creadores latinoamericanos (...). Yo siento mis posibilidades de expresión de una realidad latinoamericana a través de los contrastes entre una realidad absurda y la certeza de que existe una lógica interna de los acontecimientos, que es despreciada por esta realidad absurda, tanto en el aspecto social, como cultural o económico. Estos contrastes, para mí, llegan a ser de una violencia tan desmesurada, que producen el absurdo en la forma dramática.

No me parece que resulte muy difícil ligar estas ideas de Díaz a las que expresaba Valle a propósito del esperpento. El absurdo surge aquí no de la metafísica, sino de la historia. No estamos ante héroes beckettianos perdidos en la tragedia de la radical incoherencia del mundo. Aquí el mundo es una materia tangible, con una geografía y una época. El personaje mide el absurdo en función de un latente sentimiento de lo lógico; lo injusto desde lo justo; la crueldad y la deshumanización desde el humanismo...

Indudablemente, a las aberraciones históricas puede responderse con una dramaturgia crítica de racionalidad declarada. Con un teatro, dicho de otra forma, que se ponga críticamente enfrente de las contradicciones, injusticias, crímenes y automatismos de la cultura contemporánea. Sin embargo, por este camino se han cometido tales errores, existe tal cantidad de obras bienintencionadas y muertas, tan fatigoso cúmulo de sermones progresistas, que ya nadie tiene derecho —ni aun con citas del primer Luckács— a practicar con miopía beata la religión del Realismo. Si Jorge Díaz, en tanto que latinoamericano, ha sentido —como un día Valle, en el marco de nuestra agónica Restauración— y vivido los absurdos de una cultura, su dramaturgia debe incorporar tales vivencias, debe ser la consecuencia total de su existencia. Justamente, el desgarramiento del autor, su condición de verdugo y víctima, su ser y no ser de este tiempo, su participar y morir en la estructura, su sumisión y su rebeldía, y, a la vez, la conciencia de esta duplicidad, es lo que hacen del teatro de Jorge Díaz un testimonio dramático vivo, que nos afecta, que se nos impone, como nunca lo hará la beatería dramática de los que se declaran santos a sí mismos y demonios al resto de los mortales.

En las perspectivas de una historia social del arte, obligada a manejar los datos significativos y las correlaciones socioeconómicas, los criterios habrían de ser otros. Mas, para un creador, en tanto que expresión de sí mismo dentro de una determinada circunstancia, no puede haber más camino que el de su total proyección.

El teatro de Jorge Díaz resulta, lógicamente, de mayor o menor calidad según nos refiramos a una u otra de sus obras. Ahora bien: en todos sus puntos altos nos franquea el acceso a una realidad dolorosa, de vivencias deformadas, de cotidianeidad reflejada en espejos cóncavos o convexos. Esa es su forma de latinoamericanidad. Su modo circense de decir «no» a la historia. Su negativa a participar en el estúpido referéndum. Su dramática certidumbre de que los mecanismos históricos que regulan las sumisiones del hombre a los poderes constituidos, de la dignidad humana a las formas de corrupción y alienación, se han desarrollado y crecido a la misma escala que el armamento atómico.

Jorge Díaz, quizá por ser chileno, por pertenecer a una de las sociedades políticamente más estables y desarrolladas de Latinoamérica, no tiene los acentos populares de un Guillén o un Graciliano Ramos. Su «no» ha nacido en los ámbitos de una gran ciudad, con un teatro floreciente y unas periódicas elecciones presidenciales democráticamente desarrolladas. Su «no», antes que apuntar a unas instituciones o a unas relaciones económicas, está disparado contra la cultura generada en ese ámbito.

DOMINANTES DE SU TEATRO

No sé hasta que punto esta mezcla de absurdo asumido y de sentimiento histórico es la clave estética de la obra de Jorge Díaz. En todo caso, la lectura de su teatro nos sitúa ante una serie de actitudes ligeramente diferenciables. En líneas generales podrían ser las siguientes:

a) *Un teatro de asociaciones libres, incontroladas.*

En él, los valores son de enorme heterogeneidad. Junto a la asociación audaz, reveladora, de tremenda fuerza tragicómica, existe a veces el trazo grueso, infantil, torpe. Es indudable que, concluida la obra, Jorge Díaz debe percibir las caídas a que le ha conducido la asociación de ideas y palabras, pese a lo cual, al menos en parte, respeta las consecuencias. La razón sólo puede ser una: la conciencia de que tales fragmentos forman parte de un todo superior, en el que lo sutil convive con lo chusco; el alto pensamiento, con la estridencia elemental. Seguramente, Díaz lo que quiere es despojar al proceso creador de toda sublimación idealizante; quizá sospeche, incluso, que en esta simultánea expresión subconsciente de lo agudo y lo grosero se encuentre una de las significaciones dramáticas de la realidad contemporánea. Para el espectador o lector español, acostumbrado a lo «grotesco» como estilizada exageración de los contrastes, el procedimiento de Díaz le resultará sorprendente, en la medida que, pareciéndose en la superficie al «grotesco», es radicalmente distinto. Lo «grotesco» es un arma racionalmente empleada para mejor descubrir a los demás. En Arniches, por ejemplo, es un escalón del naturalismo. En cambio, lo grotesco de Díaz procede de una necesidad expresiva, de una voluntad de sinceridad, de la conciencia de que la relación entre el hombre y el mundo, y aun entre el hombre lúcido y el hombre hecho por la cultura moderna, es grotesca.

b) *Un teatro de precisiones críticas.*

Por lo común, en las obras de Díaz no existe ninguna afirmación crítica desvinculada de la realidad inmediata o interior del personaje. Cualquier alusión a la guerra del Vietnam, como en *El cepillo de dientes,* o a la industria de la beneficencia, como en *El lugar donde mueren los mamíferos,* o a la inferioridad de los humildes respecto de los animales de lujo, como en *Requiem por un girasol,* está ligada a la atmósfera general de la obra y a la peculiarísima condición de los personajes.

Justo es, sin embargo, advertir que, en la medida en que Díaz ha ido acentuando su actitud sociológica, la conciencia personal de que la tontería no es irremediable, el sentimiento de que —al menos, en gran parte— el absurdo está en una historia que es modificable, los elementos críticos han ido apareciendo con más asiduidad y evidenciándose más claramente. Una de sus últimas obras, *Topografía de un desnudo,* alcanza ya un punto que ha permitido a Eugenio Guzmán, el director chileno, montarla según localizaciones geográficas y precisiones sociológicas que nunca había aceptado el teatro de Díaz. La obra, situada en el Brasil, con pobres, policías y políticos en juego, permitía ya un tipo de referencias concretas a la realidad socieconómica de aquel país.

No he visto el trabajo de Guzmán —en la Habana, dentro del Festival de Teatro Latinoamericano del 66— e ignoro, por tanto, los resultados alcanzados. En cualquier caso, manejar la obra de Díaz desde estas perspectivas será siempre peligroso. Porque, a mi modo de ver, el Díaz voluntariamente crítico es menos interesante que el Díaz subconscientemente testigo y demoledor. Un planteamiento «racional» de la obra de Díaz entrañará siempre una mutilación; porque donde el autor es importante y muy considerable es en los dramas en que parece olvidarse de la sociedad para acabar ocupándose de ella en un grado de irrenunciable profundidad.

c) *Un teatro de agonía rebelde.*

Este es, para mí, el mejor. *La víspera del degüello,* incluida en este volumen, es un ejemplo. El dramaturgo expresa su propia realidad, su visión poética de la existencia. Ningún elemento formal se introduce con carácter de falsilla. Cada autor, cada escritor, tiene un plano en el que es más auténtico, más comunicativo, más veraz. En el caso de Díaz, dicho plano está en esa dolorosa soledad de su subconsciente, sacado a flote a través de un canal intelectual más asombrado que ordenador. Los elementos críticos están; está el juego contra el tiempo y el aburrimiento; está la crueldad; están las alucinaciones que deforman y revelan la realidad; es un mundo puesto patas arriba, en el que todo es risible y transparente; un mundo degradado al que esa esperanza histórica de que venimos hablando presta una tensión trágica.

Aún hoy, creo que ese es el Díaz artísticamente más considerable. No importa que desde ciertos esquemas simplistamente «sociales» fuera juzgado como un autor del «absurdo», más o menos gratuito. No advertir la carga testimonial y clarificadora de *El velero en la botella,* por ejemplo, es tanto como estar dominado por las concepciones más moralizantes y reformistas del drama. A cada autor hay que pedirle que llegue hasta el fondo de sí mismo y encuentre las formas estéticas más adecuadas para expresarse. El Díaz de *El velero en la botella* o *La víspera del degüello* lo ha hecho; bien entendido que llegar al fondo de uno mismo es, en el caso de un autor como Díaz, asumir una visión del medio social y de la circunstancia.

Si entre Díaz y los autores de «vanguardia» hay analogías, el hecho responde a un fenómeno que no debe conducirnos a falsas generalizaciones. Hay una materia dramática —procedente del absurdo histórico, de la crisis de la burguesía, de los fenómenos del burocratismo totalitario dentro del socialismo, de la decadencia del naturalismo—, más o menos flotante, de la que Díaz, como Genet, o Beckett, o Ionesco, son expresión en grado muy distinto. Ahora hablaremos de las analogías entre Díaz y otros autores. Pero todo el juicio estaría viciado si no empezáramos por aceptar que su obra se entronca, antes que nada, en su sociedad chilena, en el contexto latinoamericano, y, naturalmente, en el modo personal del autor de vivir y elegir en ese mundo.

ALGO SOBRE EL TEATRO DE VANGUARDIA

Cuando Francisco Nieva, el excelente escenógrafo, leyó *Requiem por un girasol,* me llamó por teléfono. Le había gustado, pero en su voz había una reserva nada difícil de descifrar. ¿Hasta qué punto se trataba de un experimentalismo más o menos derivado del «teatro de vanguardia»? ¿Cuál era la aportación creadora de Díaz, y cuál su capacidad para reelaborar un material de procedencia literaria más o menos rastreable? En otras palabras: ¿había una autenticidad dramática, una profundización última en la realidad, o se trataba, fundamentalmente, de un ensayo formal?

A Nieva, el más inteligente y documentado de nuestros escenógrafos, le pedí que leyese otras obras de Díaz, no ya porque sean mejores o distintas del *Requiem por un girasol,* sino porque una contemplación total de la dramaturgia de este autor elimina la más ligera sospecha de que estemos ante un experimentalista. Ya he dado antes mis razones. Pero conviene que, en este punto, estemos vigilantes para no caer en las generalizaciones esquemáticas a que nos han empujado muchos santones de la crítica. Me refiero a los que, ante una obra no naturalista, una escenografía expresionista y un diálogo contrario a la coherencia coloquial, sentencian que se trata de un teatro de «vanguardia», inmediatamente juzgado según el inamovible patrón que tales críticos se han hecho para estos casos. Genet, Jarry, Beckett, Schéhadé, Ionesco, Pinter, Simpson, Albee, etc., son así examinados como variantes de un «mismo teatro», como las especies de un género teatral que a todos abraza.

Sin duda, este es un método tonto, que confunde el pensamiento del autor con las formas teatrales. Se explica en quien defiende el naturalismo convencional del actual teatro burgués, desconcertado en cuanto se quita el saloncito de estar sin justificarlo la contextura espectacular de lo que se pone en su lugar. Podríamos decir que, desde las convenciones del teatro fotografista, todo lo que no se acopla a ese patrón es «absurdo» y encajable en la «vanguardia».

Pido perdón por estas observaciones, pero me temo que muchos han caído, desde aceras opuestas, en la misma trampa. Porque también lo que no se acopla a un cierto realismo dialéctico, con una raíz sociopolítica clara, es calificado, con el mismo afán generalizador y peyorativo, de «teatro de vanguardia».

Esta última posición es injustificable. Dejemos a los que han cantado las glorias de Benavente, Marquina o los Alvarez Quintero, llamar «absurdo» a lo que no es como ha sido siempre en escena. Pero, caer en idénticas generalizaciones, desde supuestas posiciones «realistas», es imperdonable. Yo recuerdo ahora el Congreso de la Comunidad de Escritores Europeos dedicado a la Vanguardia y la satisfacción con que desde los países socialistas —y en especial, claro, desde Checoslovaquia— se daba por liquidado el viejo destierro literario de la obra de Kafka. Un pensamiento general se impuso en aquellos días romanos a lo largo de los debates: había una «vanguardia» para uso de los agentes literarios y los agentes de publicidad; había, luego, una palabra de significado evasivo, equívoco. ¿Hasta qué punto no fue ««vanguardia» Galdós respecto de Echegaray, y Benavente respecto de Galdós? Si en una primera decisión convencional llamabamos «vanguardia» a quienes, desde un Jarry, habían pulverizado —y no evolucionado— los supuestos del teatro burgués ¿cómo encajar entonces en la «vanguardia» a un teatro que muchos estiman la expresión burguesa por excelencia de nuestra época?

Está claro que el término «vanguardia» no es, fuera de los lanzamientos y catálogos, una palabra útil. Jean Paul Sartre, en el mismo Congreso a que me vengo refiriendo, sostenía que la cultura occidental ha agotado sus posibilidades de creación, de tal forma que su «vanguardia» sólo puede ser una nueva combinación de los elementos ya conocidos. Blanco en lugar de negro, o viceversa. La única salida, según Sartre, estaba en relacionar la cultura occidental con las culturas de los continentes sojuzgados en los siglos de colonialismo. Africa, Latinoamérica y Asia eran, para Sartre, el ámbito de tres culturas destinadas a remover la cultura occidental. Imposible hablar de vanguardia sin mirar hacia esos países renacientes, sin voz propia o con voz incipiente todavía, pero situados en un proceso histórico de realización colectiva que trae aparejada una nueva expresión, un nuevo lenguaje, una nueva poética. Ahí estaba, en la integración en ese diálogo cultural, en esa salida de sí misma, la única vanguardia seria de la literatura, el arte y el hombre occidental.

Reciente está el caso de *Después de la caída*, de Arthur Miller, donde el testimonio crítico se da a través de formas mucho menos estructuradas que en *Las brujas de Salem* y bastante más cercanas al subjetivismo poético. O mucho más claro todavía, el de un Peter Weiss, cuyo *Marat-Sade* jamás encaja en el racionalismo elemental de tanto teatro vocacionalmente revolucionario. La cuestión, en suma, está sufriendo una constante evolución. El subconsciente y el irracionalismo han sido convocados como elementos integradores de la realidad. El existencialismo ha desmoronado los mitos sociales, para proponer una correcta relación entre el hombre y la sociedad, entre la tragedia personal y el compromiso eticopolítico.

Resulta entonces que el llamado «teatro de vanguardia» es, simplemente, un teatro de nuestra época, en cuyo ámbito caben tantas variantes como, pongamos por caso, dentro del último medio siglo de naturalismo convencional. Responde a una crisis de la sociedad que generó estas formas seudonaturalistas, y, por tanto, a la situación de quienes viven en su ámbito. Procede de una intervención de factores silenciados por el puritanismo de los buenos tiempos. No es, como dicen los santones de la izquierda o de la derecha, una vocación decadente. Es, simplemente, la expresión de un tiempo determinado, de una crisis, en cuyo contexto todos los conceptos son vivificados, vividos por el sujeto, sometidos, simultáneamente, a su función existencial y social.

Por eso, la «materia» —la realidad— de la «vanguardia» es la misma, siendo, en cambio, distinta la forma de vivirla e interpretarla por los autores que merecen ser tenidos en cuenta. Los mismos conceptos de progresismo y reacción, enriquecidos, pueden aplicarse a unos o a otros autores. Aunque yo pienso, en la hora de la alienación masiva, a través de los nuevos medios de comunicación y la tecnócrata conversión de los hombres en consumidores, que mal puede ser reaccionario un teatro que demanda la disponibilidad «total» del espectador. El que esto se quede en un masoquismo estético o no es otra cuestión que dependerá de cada caso. Aunque entiendo, en la hora de recabar una libertad y una independencia, que autores como Díaz plantean una inmersión del espectador en sí mismo y una visión de la realidad desde sí mismo que sólo pueden ser clarificadoras. Sentir la historia «absurda», ciertamente no salvará a ninguno de los vietnamitas que mueren cada día, pero remueve, socava, la estructura en su propia base para que este tipo de atrocidades pierdan su vieja justificación. Y, por tanto, que tiendan a desaparecer.

Y a quien diga que esto no es nada, le haré la siguiente pregunta: ¿qué ha podido hacer, hoy o ayer, con alguna eficacia, contra la guerra del Vietnam?

LAS OBRAS DE JORGE DIAZ

En un principio pensabamos incluir en este volumen *Topografía de un desnudo* junto a *El cepillo de dientes* y *La víspera del degüello*. El estreno en el Nacional de Cámara de *Requiem por un girasol* nos ha aconsejado cambiar los planes: sea éste el volumen «español», de Jorge Díaz, el testimonio de su incorporación a nuestra vida teatral.

En otro lugar va la ficha teatral de Jorge Díaz. Se enumeran allí todas las obras escritas o estrenadas por él. Comentaré aquí brevemente los textos más importantes:

El velero en la botella.

La obra está publicada en el número 69 de *Primer Acto*. Se trata, sin duda, de una de las mejores y más audaces obras de Díaz. *El velero en la botella* es el símbolo del personaje mudo —David—, dominado por la familia y por el miedo. Al final, cuando, gracias al amor de una sirvienta —Rocío—, aprenda a hablar y hable, la familia no le entenderá. David se marchará de casa, saldrá al fin, como el velero, de la botella de cristal.

El lenguaje —lleno de recuerdos deformados, de asociaciones audaces— es de una eficacia teatral espléndida. Quiero decir que Jorge Díaz resulta, a pesar de la contextura onírica de la obra, terriblemente preciso y contundente. Las relaciones matrimoniales y toda una moral pequeña burguesa aparecen distorsionadas y violentadas sin que se rompa jamás la relación entre aquel mundo alucinado y la realidad. *El velero en la botella* une a su vigor crítico, a su desesperada libertad, un calor entrañable. David y Rocío son, en el teatro de Díaz, una magnífica encarnación, una equivalencia delirante de los hombres y mujeres que más importan en nuestro tiempo. Los dos, en definitiva, acabarán conquistando su libertad y abandonando el mundo de sus mayores.

Esta fusión de la audacia literaria, de la liberación total del autor y de la delicadeza más conmovedora, hacen de *El velero en la botella* una magnífica obra teatral. A la que, sin duda, y hoy por hoy, harían ascos nuestros críticos más conservadores.

El lugar donde mueren los mamíferos.

Otra excelente obra. Su ámbito es el de una asociación benéfica que necesita a los pobres para seguir viviendo. Cuando en plena crisis encuentra a uno, decide conservarlo para asegurarse la prosperidad de su retórica. Mientras haya pobres, habrá caridad y almas caritativas. Conservemos, pues, a los pobres. Luego, tanto lo conservan, tan poco le dan, que el pobre se muere. Todavía queda una solución benéfica: enterrar a los pobres. Embalsámese, pues, al pobre, y hágase un entierro diario, con asistencia de la prensa y asegurada repercusión en la sociedad. Esa será la respuesta a todos los nuevos pobres de la tierra.

La obra parte de una situación sofocante por su misma linealidad. Se diría que no va a poder seguir adelante, consumida por el chocheo de don Justo —el jefe—, su ayudante Arquímedes y las damas auxiliares. Todo renace cuando, al fin, aparece Chatarra, un pobre. El será el alimento de la acción dramática. Gracias a él, los personajes tienen ya un fin y una actividad. Un mecanismo social se ha puesto en marcha.

Díaz ataca el automatismo del hombre, la institucionalización de su actividad, su alienación en suma. El caritativo tiene su pobre, como el jefe su súbdito, como el patriota su enemigo; pero fijado, estático, inmutable. No hay nuevas circunstancias ni factores que modifiquen y den fluidez a la situación. El personaje vive aferrado a su pobre, a su súbdito, a su enemigo. El juego, por su misma inmovilidad, resultará absurdo, y, en definitiva, se nos convertirá en una tragedia política. En la tragedia de la «latinoamericanidad».

La acusación social inmediata de *El lugar donde mueren los mamíferos* es clara: la beneficencia es la liberación del egoísmo, la ceremonia deificadora de la burguesía. Y los «funcionarios del bien», los ceremoniantes de la caridad, los encubridores de la injusticia.

El lenguaje es —como en todo el teatro de Díaz— violento, libre, hecho de asociaciones inesperadas y espontáneas, determinadas a veces por la simple consonancia fonética de las palabras. La construcción, dentro de su anarquía, responde a una inteligente y bien planeada dosificación, lo que supone, cuanto menos, un proceso autocrítico paralelo a la expresión espontánea. Otras veces, como en la situación absurda provocada por la mezcla de varios temas en una misma conversación, Díaz se somete a un construccionismo teatral que no es frecuente en sus obras. *El lugar donde mueren los mamíferos* es, en este aspecto, uno de los dramas más «construidos» de todo el teatro de Díaz.

La acción sucede, como de costumbre, en un «ámbito» y no en un lugar concreto. Importa la atmósfera, de significación inespacial: la acción ocurre en cualquier lugar sometido a las contradicciones de capitalismo y justicia social, riqueza legitimada por la moral y miseria. En otro aspecto, la obra es una prueba más de que el «absurdo» de Díaz no nace de una filosofía, de una metafísica, sino de una realidad social.

La obra, tragicómica, es, a un tiempo, desesperante y divertida. Imaginativa y condicionada por unos datos objetivos.

El lugar donde mueren los mamíferos, por su ataque a la beneficencia caprichosa y remediadora, podría compararse con muchas obras españolas —desde Benavente y Arniches a *Las viejas difíciles,* de Muñiz— que se han ocupado del tema. El ataque de Díaz es, sin embargo, mucho más brutal. No se plantea un reformismo, sino el absurdo de las relaciones entre benefactores y beneficiados. La clave estética es la traumatización de la tragedia, su visión desde una subjetividad hipersensible, pero rigurosa. Se trata, en suma, de un texto que no tiene equivalencia en el teatro español de «protesta» de cualquier época, aunque guarde lejanas concomitancias con la citada tragicomedia de Carlos Muñiz.

Variaciones para muertos de percusión.

De todo el teatro de Díaz, creo que este es el drama más experimentalista. No porque le falte una medulación crítica, sino porque su forma resulta voluntariamente insólita. Copio la acotación inicial sobre el valor de «la percusión» en el drama:

«*La obra se ha concebido como una pieza rítmica.*

Es fundamental contar con un guión rítmico de percusión adecuado y un intérprete sensible.

A través de toda la obra se indican exactamente los momentos que deben ser subrayados con la percusión en mayor o menor volumen. Aunque, naturalmente, por el carácter mismo de los instrumentos elegidos —timbales, tambores, platillos— el acompañamiento musical tendrá raigambre jazzística, no debe caerse en el error de un acompañamiento convencional de batería de jazz. Puede buscarse con entera libertad una mayor expresividad de percusión, usando elementos sonoros más diferenciados, incluso insólitos.»

Por supuesto, Díaz señala esos momentos de «mayor o menor volumen», pero los márgenes de decisión reservados al director de escena y a ese «guión rítmico» son enormes.

Variaciones..., como todo el teatro de Díaz, es una obra de personajes despsicologizados; sólo que aquí el procedimiento llega a su forma extrema de marionetismo. Quizá porque es la obra menos «irracionalista» de Díaz, aquella en que se ha visto más obligado a observar a los personajes a cierta distancia y, por tanto, a darles una significación explícita. El autor, sometido a la «concepción rítmica» de su obra, es menos libre que de costumbre, cambiando su ferocidad habitual por un razonamiento mucho más frío. Lo que, en definitiva, priva a *Variaciones...* de la fuerza y la capacidad poética que son propias de la mayor parte del teatro de Jorge Díaz.

El tema de *Variaciones...* es el de la alienación a través de la publicidad y los modernos medios adiovisuales de comunicación. El director de aquella agencia de publicidad encarna el poder; el moderno jefe político sería, en última instancia, el que sabe convertirse a sí mismo en un *slogan* y en un producto de consumo. Al final del drama, cuando se rebela e intenta humanizar el sistema, será aniquilado y sustituido por uno de sus hasta entonces sumisos empleados. Sobre una tarima, a lo largo del drama, el más humilde de los personajes improvisará la percusión que descubre la angustia subyacente en toda aquella realidad relojeramente dominada.

Inútil subrayar el valor temático de *Variaciones para muertos de percusión* en el mundo de nuestros días.

El nudo ciego.

La obra se estrenó en Chile cuando Jorge Díaz acababa de llegar a Madrid. En cierta medida extrema la preocupación que el autor había evidenciado en *Variaciones para muertos de percusión:* mostrar el otro lado de la apariencia, la contradicción entre el orden y la realidad, la paz y la angustia, la convención y la verdad.

Especialmente desde Chejov, en el teatro se ha hablado con frecuencia del «subtexto». Esta concepción —ya nunca más abandonada por el mejor teatro posterior— implica el desentrañamiento de las pausas y del valor de las palabras en función muy precisa de la situación del personaje que las pronuncia. Es decir, que las frases teatrales adquieren un sentido metagramatical, más allá de lo que valen en los diccionarios. Son, dicho de otro modo, términos de expresión integrados en una unidad superior, en una realidad mucho más rica y ambigua de lo que pudieran indicar las significaciones concretas de las palabras. También se podría señalar, por contraposición a ese vacuo teatro literario que vive solamente en las palabras, que se trata de una dramaturgia que ha tomado conciencia de la contradicción existente entre la autenticidad y los automatismos de actuación, entre el hombre y su trivialización cotidiana. De ahí surge la valoración de un «subtexto», entendido como pista que pueda conducirnos a una realidad camuflada, violentada y minimizada por las palabras.

El nudo ciego, otra obra donde la medula crítica se une a una voluntaria conciencia experimental, lleva a un extremo límite esta concepción. Se trata de dos textos complementarios. De un lado está el que dicen los actores sobre la escena, más o menos acoplado a las convenciones dramáticas habituales; del otro, un guión que llega al espectador a través de una red de audífonos, en contraposición al que se formula en el escenario. También podríamos recordar, a estos efectos, el *Extraño interludio,* de O'Neill, y aún otras muchas obras en que los monólogos paralizan a los personajes y les permiten mostrar la razón última —o el drama útimo— de lo que hacen y dicen en escena.

El experimento dio unos resultados mediocres, quizá, como confirma el propio Díaz, porque se hizo a partir de una obra que él había escrito inicialmente sin ese propósito. También cuentan los riesgos de la excesiva mediación de la técnica. Y, en lugar nada desdeñable, la dificultad de contraponer un texto a otro texto, una concreción a otra, y no —como ha solido hacerse— de un subtexto a un texto.

El nudo ciego entraña también una decidida dramatización de los problemas ónticos y existenciales del ser humano, sin que ello eluda la contemplación de una situación social chilena. Reproduzco un párrafo de las críticas (la de Italo García Nutini):

«Esta es la primera obra del dramaturgo en que los personajes dejan de ser esquemas de caracteres, alegorías, para asumir una gran complejidad sicológica. Todos poseen un misterioso mundo interior que se manifiesta como larvas síquicas, insidiosas, que desde lo subconsciente suben a la conciencia.

Por primera vez no hay dardos que apunten a los organismos y entidades nacionales e internacionales; no hay propiamente problemas de comunicación ni de soledad. Díaz apunta más alto: la obra posee un marcado tono metafísico. Aun cuando se ambienta en una mina de carbón, donde supervive el tema de las «camas calientes» y trata de dos mineros que trabajan turnos diferentes y comparten el lecho con una misma mujer, la motivación de esta pieza surge frente a interrogantes como éstas: ¿son efectivamente dos hombres reales y diferentes, o dos concepciones distintas del hombre?, ¿o será uno de ellos el producto de la fantasía y de las pesadillas de la mujer? Jorge Díaz no da ninguna luz sobre el asunto. Deja el problema en manos del espectador que podrá darle múltiples interpretaciones de acuerdo a la manera como la «intuya», pues, según ya lo ha expresado, «la realidad más que percibida por el conocimiento, lo es por la intuición; por ese eje de la balanza que existe entre lo conocido y lo desconocido».

El problema que preocupa a Jorge Díaz en esta obra podría resumirse con las siguientes palabras de Unamuno: «Hay un ambiente exterior, el mundo de los fenómenos sensibles, que nos envuelve y sustenta, y un ambiente interior, nuestra propia conciencia, el mundo de nuestras ideas, imaginaciones, deseos y sentimientos. Nadie puede decir donde acaba el uno y el otro empieza, nadie puede decir hasta qué punto somos nosotros del mundo externo o es éste nuestro.»

Topografía de un desnudo.

La obra tiene un subtítulo esclarecedor: «Esquema para una indagación inútil». Tiene también una cita inicial: «La obra está basada en un suceso real ocurrido en Brasil, del cual los periódicos informaron en su oportunidad, pero podría haber sucedido en cualquier país donde se encuentre injusticia, represión y violencia.» Y aún el siguiente fragmento de un poema de Bertold Brecht:

Después que su lívido cuerpo se hubo podrido en el agua
he aquí que (muy lentamente). Dios empezó a olvidarlo
primero su cara. luego sus manos, pero hasta el fin no olvidó su
[cabello,
y entonces se convirtió en cadáver, en río con muchos cadáveres.

Todos estos textos bastarían, en su conjunto, para destacar las preocupaciones sociohistóricas de *Topografía de un desnudo*. Ciertamente, subsisten una serie de interrogaciones ontológicas, y Díaz jamás se ciñe a la visión de unos datos económicos y a los subsigiuentes dramas estructurales. Ninguna relación, pues, de primer grado, entre *Topografía de un desnudo* y ese «Novo Cinema» de los Glauber Rocha o Nelson Pereira, donde, con críterios documentalistas, o analizando expresionísticamente la realidad brasileña, el espectador es remitido inmediatamente a un *status* de injusticia contra el que se levanta el realizador. Es un cine conscientemente revolucionario, y de *Topografía de un desnudo* no podría decirse otro tanto.

Sin embargo, este «esquema para una indagación inútil» encierra, a través de la «inutilidad de la investigación», una posición de resuelto inconformismo. Antes he hablado de los intentos de Eugenio Guzmán para subrayar el «historicismo» de un drama que, en definitiva ,muestra con claridad la estética sustanclal de Jorge Díaz: profundizar en la realidad, no en el sentido de llegar a sus últimas razones temporales, sino en tanto que tales razones, tales causas se dan dentro de un ámbito, de que tales razones, tales causas, se dan dentro de un ámbito, de un mundo, contradictorios. Remito al lector al texto de Jorge Díaz, titulado *A manera de algo que no sé lo qué es,* incluido en este volumen. Allí está la clave de este drama, por igual atento a la miseria de las grandes masas del nordeste del Brasil y al *misterio* inexpresable que encierra cada hombre.

LAS OBRAS DE ESTE VOLUMEN

Hablemos, finalmente, de las obras incluidas en este libro. Las dos largas están aquí en razón de haber sido estrenadas en España. Nos permiten recoger la primera huella, la primera imagen que Jorge Díaz ha proyectado en España. Conviene, sin embargo, decir que en esta imagen hay una molesta irregularidad. *Requiem por un girasol* es la primera obra larga de Jorge Díaz; en cambio, aquí hemos visto primero *El cepillo de dientes,* estrenándose la otra en lugar de *El velero en la botella,* probablemente la mejor pieza de Jorge Díaz y uno de los grandes dramas del moderno latinoamericano.

Esta anomalía ha determinado juicios equívocos. Para quien no sigue de cerca el teatro, el *Requiem...* ha parecido un paso atrás, cuando simplemente se trataba de una obra anterior. También la eliminación de *El velero en la botella,* cuando estaban los ensayos muy avanzados y prevista la fecha del estreno, entraña una deformación, una incapacidad nuestra para entender la obra de Díaz en su conjunto; y si éste no es mal de todos, basta, como dato significativo, que los criterios opuestos a *El velero en la botella* hayan llegado a imponerse con tan tajante eficacia.

Diríamos, en resumen, que nosotros mismos hemos violentado la imagen de Jorge Díaz y, en consecuencia, que debemos juzgar al chileno con una inexcusable —y por ello un poco molesta— humildad.

Junto a *El cepillo de dientes* y *Requiem por un girasol,* publicamos *La víspera del degüello,* obra en un acto totalmente inédita y desconocida. La obra se tituló inicialmente *El génesis fue mañana,* cosa que vale la pena recordar por lo que tiene de clarificación de las intenciones del dramaturgo. Creo, sinceramente, que se trata de una magnífica tragedia llena de suscitaciones, alumbrada por la mejor poética de Jorge Díaz.

Si la incluimos en el volumen es por la doble razón de su valor en sí y por remitirnos a un Jorge Díaz cataclismal, en gran parte ausente en *El cepillo de dientes* y *Requiem por un girasol,* obras de techo crítico más bajo y referido a la sociedad burguesa contemporánea. Diríamos que, en cierto modo, *La víspera del degüello* es la realidad que sigue, cronológicamente, a *Requiem por un girasol* y *El cepillo de dientes.* El absurdo alcanza en la destrucción atómica su proyección histórica universal. No su desarrollo o aumento, entiéndase, sino su coherencia total. De donde la disyuntiva última de la actual sociedad no puede estar más clara: o se modifican las estructuras sociales e ideológicas o, en un puro acto de lógica, aceptamos la guerra atómica como la última manifestación del dirigismo económico de las minorías bien instaladas.

Con respecto a *El cepillo de dientes,* obra inicialmente en un acto, también titulada *Náufragos en el parque de atracciones,* y reescrita en España con vistas a su estreno en el Valle-Inclán, de Madrid, escribía yo en *Primer Acto:*

«*La forma teatral elegida parte de una constante liberación del subconsciente. Díaz está muy lejos de ese puntillismo naturalista que exige a cada frase una significación precisa y un juego concretable en la totalidad del drama. El autor chileno lo que hace es situar a los personajes en su vacío y provocarlos, dejando que el juego siga hasta el final.*

Los personajes de El cepillo de dientes *son dos, marido y mujer. Se parte de esa obsesión por «llenar el tiempo», que, modernamente, ha tipificado, exasperadamente, Samuel Beckett, pero a la que cabría encontrar una larga serie de muy ricos y diversos antecedentes. La cita de Beckett es también oportuna en la medida que el juego circense de marido y mujer, sus invenciones, sus aceptadas mentiras, sus oscilaciones de euforia y desánimo, recuerdan a Vladimiro y Estragón, los dos payasos cósmicos de* Esperando a Godot, *de tan decisiva influencia en una parte considerable del teatro contemporáneo.*

Establecida esta primera afinidad formal habría que citar otra, también muy clara, El balcón, *de Jean Genet, con sus personajes disfrazándose, inventándose a sí mismos una y otra vez para llenar un tiempo totalmente muerto y gozar de un sentimiento existencial que no llenaría nunca la realidad social o histórica a su alcance.*

Jorge Díaz, aun incorporando elementos de Beckett y Genet, ya digo que se diferencia de ellos en un punto radical. El sí cree que la historia puede llenar ese sentimiento existencial. Y, precisamente, lo que muestra su drama es la esterilidad, la imbecilidad última de un «juego entre dos», de un automatismo que asocia, por ejemplo, «masacre en Vietnam» con una película y no con una real e inaceptable matanza de seres humanos.

Es curiosa e interesante la raíz española de la obra. Su forma responde, según vemos, a procesos estilísticos y debates ideológicos raramente albergados por nuestro teatro nacional. Sin embargo, la extremosidad, el gusto por lo grotesco, la violenta mezcla de la crueldad y el chiste, la línea humoral de la obra resultan a menudo, para bien o para mal, totalmente nuestros.»

El cepillo de dientes tuvo, en general, muy buena crítica, aunque no faltara quien se quedara con el grosor de algunos términos y saliera del Valle-Inclán —a juzgar por lo que luego escribió— convencido de que había visto una de esas malsonantes piececitas de nuestro subgénero cómico. El estreno fue un éxito. Luego, el público, que no conocía a Jorge Díaz ni tenía fe en una obra interpretada por dos únicos actores, buenos, pero sin «gancho» comercial, se desentendió. Sin embargo, la afluencia de universitarios y espectadores jóvenes fue creciente, hasta alcanzar las últimas representaciones una audiencia numéricamente razonable y entusiasta. El posterior estreno de *Requiem por un girasol* —en el Nacional de Cámara y Ensayo, a instancias de Víctor Aúz— es la prueba más clara de que tanto Jorge Díaz como Rubén Benítez, el director de *El cepillo de dientes,* se apuntaron un éxito profesional, en el que es justo incluir a los intérpretes Agustín González y Carla Cristi.

Por lo que respecta al *Requiem por un girasol* —dirigida también por Rubén Benítez—, concurrieron en su estreno madrileño varias circunstancias desafortunadas. La obra había sido montada a toda prisa en sustitución de *El velero,* y fallaron algunas cosas. Faltó, sin duda, tiempo para varios ensayos generales, y la escenografía de Francisco Nieva —uno de los mejores escenógrafos españoles de nuestra época— hubo de ser modificada horas antes del estreno. El montaje estaba concebido en función de un «espectáculo *pop*», cosa que hubo de resultar especialmente negativa, una vez se desajustaron los diversos elementos de la puesta en escena o no llegaron a ajustarse. Sólo esto explica, a mi modo de ver, ciertas críticas. No las de quienes se niegan sistemáticamente a cuanto no discurra por los cauces de las convenciones que dominaron durante años, sino las de otros críticos muy respetables que, probablemente, habrían modificado su criterio de ver la obra después de su quince o veinte representación. La directriz *pop* se dejó a un lado, y el espectáculo se estructuró a partir de su fuerza verbal, de su literatura dramática. Cobró entonces una nueva fuerza, una nueva densidad, poniendo a flote toda la mezcla de imaginación y violencia que encierra la obra.

Requiem por un girasol, en la versión ya ajustada, sonaba un poco a un Jardiel transcendente. A obra de alguien dominado por la «pasión de lo inverosímil», por la audacia de la invención y, al mismo tiempo, por la necesidad de poner todo ese material al servicio de una interpretación crítica de la sociedad contemporánea. Ciertamente, nada nuevo en el fondo. Pero bastante original en la forma. Y expresado, además, con una sinceridad total.

Es verdad que, a menudo, lo «inverosímil» —como ya ocurría en *El cepillo de dientes*— desembocaba en cierta sal gruesa, en una densidad cómica que cambiaba el drama en chiste, lo patético en elemental y divertida ocurrencia. También cabe achacar al *Requiem por un girasol* un tono admonitorio y un aroma poetizante que reblandecen la nervatura del drama.

Con todo, admitidos estos defectos, considero *Requiem por un girasol* —primera obra larga de Díaz— una obra muy estimable, de estreno perfectamente justificado en nuestro Nacional de Cámara y Ensayo. Cuando tantas veces es convocado el irracionalismo por pura fórmula, cuando tantas veces se hace de lo insólito un valor en sí mismo, la presencia de *Requiem por un girasol* ante el gran público sólo puede ser un bien. Un ejemplo de la amplificación del viejo pseudonaturalismo sin caer en la gratuidad.

En cuanto al sentido crítico del *Requiem...* no puede estar más claro. Quizá, incluso, está demasiado claro. Yo tuve la suerte de ver la obra cuando llevaba dos semanas en cartel, un sábado por la tarde, entre público numeroso, y puedo dar fe de que los aplausos y los silencios tenían un sentido, de que allí nos reíamos y pensábamos a la vez.

JORGE DIAZ, DENTRO DEL PANORAMA TEATRAL CHILENO

Por Hans Ehrmann

Hace veinticinco años comenzó a transformarse el teatro chileno, fenómeno que a la distancia adquiere un aire romántico del que no se tenía conciencia en los ya lejanos días de 1941. Las modestas representaciones de *La guarda cuidadosa,* de Cervantes, o *Ligazón,* de Valle-Inclán, por un grupo de estudiantes universitarios, no hacía sospechar entonces que se iniciaba una renovación a fondo de nuestra vida teatral.

En síntesis, fue el comienzo de una era en que apareció *el director,* en que los espectáculos se ensayaban dos meses, en que desaparecían los temblorosos decorados de papel y en que el apuntador dejó de competir con los actores por la atención del espectador. Ya no se producían aquellos pintorescos estrenos, preparados en cuatro días, en que los actores sólo conocían la distribución de los muebles y el decorado cuando salían a escena. Paralelamente se comenzó a abarcar un ambicioso repertorio de autores clásicos y modernos. Con esta labor del Teatro Experimental de la Universidad de Chile —seguido a los pocos años por el Teatro de Ensayo de la Universidad Católica— nacía un nuevo teatro.

Fue una época hermosa. Cada estreno significaba una nueva prueba, una nueva experiencia que ampliaba el registro de lo alcanzable. El apoyo de las autoridades aumentaba a la par del progreso logrado. Inicialmente el Teatro Experimental apenas contó con un oscuro rincón en el edificio principal de la Universidad; mientras sus actores se titulaban de profesores de castellano, francés o inglés, ejercían la docencia y ensayaban en su tiempo libre.

La profesionalización y sala propia marcaron la próxima etapa. El Teatro Experimental se transformaba en I. T. U. C. H. (Instituto del Teatro de la Universidad de Chile). Surgían actores, directores, escenógrafos e iluminadores con oficio. Ambos teatros universitarios mantenían escuelas teatrales y emprendían sus primeras giras al extranjero. Se convirtieron en el indiscutible eje de la vida teatral chilena.

Sin embargo, sería injusto dar la sensación simplista de que antes todo fuera negro y de que ahora todo se tornaba blanco. Los defectos de los profesionales de antiguo cuño fueron muchos, especialmente en su período de decadencia, pero en su mejor época alcanzaron un contacto con el público que no se da hoy en día.

El teatro dejó de ser el patrimonio del «primer actor» para transformarse en una labor de equipo regida por el director, pero, al mismo tiempo, se transformó en un artículo de élite, al que acuden la clase media y los estratos superiores del espectro social. En una ciudad de dos millones de habitantes, como es Santiago de Chile, hay un término medio de treinta estrenos anuales. Un gran éxito, de los que no hay más de dos o tres por temporada, alcanza de unos veinticinco a treinta mil espectadores, mientras las dos terceras partes de los estrenos no sobrepasan los diez mil. Lo que preocupa es que estas cifras se mantienen estacionarias y que no se produce un paulatino incremento del público teatral.

Los teatros universitarios impusieron nuevos moldes y metas artísticos, pero en el proceso se perdió el contacto intenso que antes había con el público.

En el comienzo del nuevo teatro chileno se dieron las antípodas de profesionales y universitarios. Esa vieja rencilla perdió su razón de ser con la profesionalización de los últimos y, actualmente, cabe diferenciar más bien entre conjuntos subvencionados (I. T. U. C. H., Teatro de Ensayo) y no-subvencionados. Frente a una situación que, en lo económico, se ha tornado cada vez más difícil para quienes carecen de subsidio, se produce actualmente un rebrote del teatro de boulevard, donde el público, inevitablemente, es expuesto a virus como Alfonso Paso. Aún no se vislumbra una vacuna contra este mal y lo grave de la situación es que tampoco surja una nueva generación que renueve a los renovadores de antaño, actualmente convertidos en lo que los ingleses, tan apta e intraductiblemente, denominan el *establishment*. Una de las pocas excepciones frente a este fenómeno es el Teatro Ictus, a cuya trayectoria está estrechamente ligado Jorge Díaz, quien es, junto a Egon Wolff, el más importante de nuestros autores.

Si su obra está emparentada con el teatro del absurdo que ha emergido de París, es más coincidencia que influencia. Díaz es hombre que difícilmente va al teatro y que lee pocas obras. Vivía arrinconado en su oficina de arquitecto, iba muchísimo al cine, era hombre de pocos amigos. Su timidez era tal que hasta cambiaba constantemente de peluquero. Decía: «Son terribles las familiaridades que se permiten los peluqueros cuando uno se torna *cliente*.» Cuando se estrenaba una de sus obras huía un cuarto de hora antes del telón final y jamás emergió a escena para recibir los aplausos que el autor tradicionalmente recibe en esas ocasiones.

El que, por primera vez en su vida, lo haya hecho en el Teatro Valle-Inclán, de Madrid, en el estreno de *El cepillo de dientes*, podría reflejar una evolución de su personalidad, gestada durante sus dos años de exilio voluntario en España.

Entre Ictus y Díaz se gestó una eficaz complementación. Este conjunto había vegetado durante varios años sin alcanzar una clara identidad y sentido. Su versión de *Las suplicantes* fue desastrosa; su *Asesinato en la catedral,* débil; *La alondra,* de Anouilh, algo mejor. Mas sólo fue con un programa doble de Díaz *(El cepillo de dientes, Un hombre llamado Isla,* 1961) y *El cuidador,* de Pinter, que Ictus comenzó a encarrilarse.

Frente a un movimiento teatral que se había quedado estacionario, halló su propia senda: presentar obras que tanto las salas comerciales como los conjuntos universitarios consideraban demasiado arriesgadas: *Sabor a miel,* de Shelagh Delaney; *La maña,* de Ann Jellicoe; *La visita de la vieja dama,* de Dürrenmatt; *El auto de la compasiva,* de Ariano Saussuna (brasileño), e *Historia del Zoológico,* de Albee. Este repertorio, paulatinamente, formó un público para Ictus, aunque éste no bastara para financiar sus espectáculos y el conjunto vivía (y vive) en un estado de endeudamiento permanente.

Fue Jorge Díaz quien, como dirigente de Ictus, muchas veces pasó angustiadas mañanas haciendo antesala en poco acogedores bancos, para gestionar sobregiros o bien lograr la postergación de alguna letra de cambio.

Paralelamente al repertorio internacional, Ictus daba a conocer una serie de obras de Díaz. El, también comenzó inseguro: *La paloma y el espino* y *Manuel Rodríguez*, esta última basada en un personaje histórico chileno y un desastre sin atenuantes, ni insinuaban aún el dramaturgo que surgiría posteriormente.

El cepillo de dientes (que entonces fue una obra en un acto) y *Requiem para un girasol*, fueron las primeras obras en que comenzó a hallarse a sí mismo y a esa altura también comenzó a recibir el apoyo de la crítica.

Ictus ya estaba encaminado en su senda del repertorio de nuevos autores. Justo es dejar constancia que las intenciones fueron, por lo general, mejores que las realizaciones mismas, y que el nivel de las representaciones —asemejable al de los teatros independientes argentinos— no siempre satisfizo. Fue la obra de Díaz la que en última instancia justificó la existencia del conjunto y, hasta el momento, es el aporte más importante que ha hecho a nuestro teatro.

El velero en la botella, El lugar donde mueren los mamíferos, Variaciones para muertos de percusión, El nudo ciego... siempre títulos extraños, levemente poéticos. Y una constante de dos temas: la soledad y una visión aguda de los sin sentidos de la sociedad.

El velero en la botella surgió en 1961, mientras el autor viajaba por España, la tierra de sus padres. Nació con el siguiente apunte: «La pobreza de los ricos se llama soledad... Los tres encuentros con la soledad: de niño, la compensación de la fantasía; de joven, la compensación del amor, y el adulto se convierte en un necesitado sin compensación.»

La soledad, unida a los intentos, a veces tímidos a veces obsesivos, de romperla mediante la comunicación con los demás, se halla, prácticamente, en toda la obra de Díaz. Es un reflejo de su conflicto personal ante la vida.

Paralelamente siente que una serie de factores de la vida social carecen de sentido y de lógica. Y, empleando un sistema de reducción al absurdo, embiste con un ennegrecido sentido del humor, por ejemplo, contra la caridad organizada y la omnipotencia de la publicidad. Su objetivo es lograr una *toma de conciencia* en el espectador. Escribió alguna vez:

«Siento que vivimos en una estructura social equivocada. El aburguesamiento, junto con dar comodidad, da antídotos para cualquier acción contra esa sociedad. Así, las verdades presentadas en el teatro son a veces recibidas por la burguesía con irónica aceptación y casi siempre con regocijo. La forma en que me parece posible obtener esta toma de conciencia es a través de la risa y la emoción. Risa ante el esperpento reconocible, y emoción ante los sentimientos al desnudo de los protagonistas. Creo que la mejor manera de hacer pensar en el teatro hoy día es mientras se hace reír. La situación cómica, no como máscara de la verdad, ni como agua azucarada para tragar el jarabe, sino lo cómico intrínseco de la condición humana. El esperpento de Valle-Inclán, el grotesco de Ionesco y el humor negro «límite» de Beckett, son expresiones de una misma intención: la patética condición humana llevada al absurdo por una sociedad deformada.

El mensaje intelectualmente sólido, pero lanzado en un escenario con una retórica de conferenciante, hoy no se soporta. No se cree a nadie (en el teatro) que intente reproducir un «trozo de vida». Es más importante inocular el virus de una idea mientras la gente ríe. Se levantarán sin saber que llevan el virus y epezará a madurar después.

Hacer reír, desconcertar y llevar paulatinamente a la toma de conciencia, parece un encadenamiento posible. En todo caso se ve, por todo lo que se ha dicho, que el humor y el sentido trágico de lo cómico son un medio y no un fin.»

Es así como Jorge Díaz observa una sociedad deformada, haciendo resaltar sus aristas mediante las deformaciones que a su vez surgen de un humor negro y agudo que pone el dedo en más de alguna llaga. En el fondo, es la visión de un ser eminentemente solitario, que tiene conciencia de su condición, frente a un ámbito social compuesto por seres que carecen de esa conciencia y que no han sabido comprender los factores que los codicionan.

ENTREVISTA A EUGENIO GUZMAN, DIRECTOR CHILENO

— Creo que debe hablarse de un teatro chileno a partir del momento en que entran a jugar los teatros universitarios en nuestro movimiento artístico. Antes existió un teatro chileno, pero intuitivo, no racionalizado como una forma artística. Exigió, como herencia de los viejos autores españoles, en el siglo pasado, un grupo de dramaturgos que no encontraron una difusión. Luego vino el período de las grandes giras de las compañías españolas, durante los comienzos del siglo, y en el cual el autor nacional jugaba un papel de pariente pobre; había estrenado para que se cumpliese una disposición municipal, y nuestros autores emigraban en busca de mejores playas, como el caso de Armando Mock, que hizo la mayor parte de su trayectoria en la Argentina.

— ....

— Existían, sí, algunos autores populares. Se creó el Teatro del Sainete, en el que hubo muchas figuras a comienzos de siglo. A partir del cine sonoro, el teatro sufrió una asfixia; el espectáculo vivo comenzó a declinar profundamente y podemos contar la cosa asombrosa de que, por los años treinta, solamente existía ya una compañía profesional chilena funcionando: la de Alejandro Flores.

— ....

— La aparición del nuevo teatro chileno, del nuevo teatro universitario, está íntimamente ligada o inter-relacionada a dos factores fundamentales: uno, es la visita de compañías extranjeras que sustentan un nuevo tipo de teatro, una nueva forma ante nuestros ojos. Por ejemplo, la visita de Louis Jouvet, con las obras de Claudel y Giraudoux en su repertorio, sustentando un teatro nacional en estrecha relación de creador y recreadores en el escenario. O la visita de Margarita Xirgu, con las obras de García Lorca, cuyo repertorio íntegro fue prácticamente dado a conocer, por primera vez, en los países americanos de lengua española. Todo esto coincide con la aparición del Frente Popular en Chile, con un presidente de visión muchísimo más dinámica de nuestra sociedad, con la consideración de nuevos aspectos industriales, la creación de nuevas capas sociales, de nuevas clases y de una actitud intelectual inexistente hasta entonces. La combinación del aporte de estas compañías extranjeras —la nueva visión de sus teatros nacionales— con una sociedad dinamizándose, determinó una situación histórica que fue aprovechada por un hombre que siempre habrá que nombrar cuando se hable de teatro chileno. Este hombre es Pedro de la Barra, que era un profesor de castellano del Instituto de Pedagogía. El tuvo la idea feliz de auspiciar el proyecto de que la Universidad de Chile, que es la Universidad estatal, amparase la creación de un Teatro Experimental. Este Teatro Experimental tenía como planteamiento cuatro puntos dinámicos: la creación de un ambiente teatral, es decir, la aparición de un público, de críticos y actores, conjugados en torno a un mismo fenómeno; la creación de un Teatro Escuela para formar nuevos elementos; la difusión de los grandes autores del pasado y del presente, es decir, los clásicos y los autores importantes de todas las dramaturgias europeas y americanas, y, fundamentalmente, la aparición del dramaturgo nacional, testimonio elocuente del momento histórico. Estos cuatro puntos fueron los que dieron vida al Teatro Experimental, que pasó a ser un organismo oficial de la Universidad de Chile y a llamarse más tarde Instituto del Teatro de la Universidad de Chile. Palmo a palmo, en los veintitrés años de existencia, con estos cuatro puntos hemos ido, digamos, cimentando un movimiento teatral que tuvo, como primeras consecuencias, la creación de otros teatros universitarios. Nació así, sobre bases análogas, el Teatro de Ensayo de la Universidad Católica, y el Teatro de la Universidad de la Concepción. Y, actualmente, está surgiendo otro grupo del mismo carácter en la Universidad de Antofagasta.

— ....

— Los actores de los teatros universitarios no son universitarios, es decir, no pertenecen a ninguna Facultad, ni son profesores o alumnos de entidad alguna. Las formas para llegar a pertenecer a un movimiento universitario son diversas: unas son las Escuelas de Teatro que cada Universidad posee; una Escuela de Teatro cuyo ingreso exige solamente un cuarto año de Humanidades, que no sé que equivalente tendrá en España. Es decir, dos años antes de concluir el bachillerato. Una vez ingresado en la escuela, el alumno no practica otra profesión paralela ni estudia otra cosa. También existe la posibilidad de ingresar en nuestros teatros mediante un concurso de selección, al que nosotros llamamos a aquellos actores profesionales cuya trayectoria es interesante y rica y que pueden aportarnos su experiencia práctica, o a otros cuya práctica teatral no ha sido conducida desde un punto de vista artístico. De modo que, por una parte, no nos hemos cerrado al concurso del viejo actor profesional, y, por otra, procuramos que todos los elementos que ingresan en nuestro teatro tengan una disciplina. Pero habría que, digamos, desterrar toda confusión entre el médico-actor o el arquitecto-actor y nuestros actores universitarios.

— ....

— La verdad es que la gran fuente de creación para los autores, directores, escenógrafos y actores, en Chile, han sido los autores españoles clásicos. Nosotros tenemos un contacto vital con un Lope de Vega, un Calderón, un Tirso o un Lope de Rueda. Pero no lo tenemos de una manera dinámica e igualmente vital con los autores de la actual generación del teatro español. Diríamos que, incluso con García Lorca, por el hecho de haberle visto durante años, montado por actores españoles, hemos tenido un temor, quizá excesivo, al plantearlo en escena. Así es que hemos montado obras de García Lorca en muy pocas ocasiones. En los montajes nuestros de obras españolas —*La zapatera prodigiosa* y *Doña Rosita la soltera,* de Lorca; *Los intereses creados* y *La malquerida,* de Benavente, etc.— no hemos encontrado el favor o el fervor, ni de los espectadores ni de los críticos, que nos dicen que lo hacemos muy «a la chilena». La verdad es que no hemos encontrado autores contemporáneos españoles que, con una vigencia universal, nos hablen de los problemas que a nosotros nos interesan de forma directa. Por ello, hemos preferido al autor chileno para plantear el tema paralelo. De modo que, si bien el autor chileno está influido por la tradición española —Arniches, Benavente, diría yo—, ha encontrado la manera nacional de decir lo mismo. La gran influencia que yo he percibido en los años anteriores al cincuenta, ha sido de Ibsen y Strindberg, por una parte, y de Miller con su *Muerte de un viajante,* por otra. Y, a partir de aquella etapa, las nuevas fuentes en las que nuestro teatro bebe mucha documentación e inspiración son, Brecht, que ha sido un autor fundamental, por un lado, y Beckett e Ionesco, por el otro, en las distintas tendencias. Naturalmente, que yo volvería a hablar de obras que fueran chilenas, tan chilenas, que difiriesen totalmente, en técnicas y en estilos, a las de los autores extranjeros, sean españoles, europeos o americanos. Es decir, la etapa que vive el teatro nacional es la asimilación, muy vital, muy alerta, de los autores nuestros, de los extranjeros y un cúmulo de planteamientos de formas específicamente nuestras, que tendrían, naturalmente, que buscar su raíz en todo lo que hemos visto de teatro. Y lo que hemos visto ha sido mucho de lo español y mucho de lo extranjero. Estas asimilaciones se asumieron, por ejemplo, en *La pérgola de las flores,* obra que presentó el Teatro de Ensayo de la Universidad Católica en el Español, de Madrid. Esta obra, siendo intranscendente en el contenido, nos planteó a los que trabajamos en ella muchos problemas de forma, porque no es una zarzuela desde el punto de vista de herencia, y tampoco es una comedia musical norteamericana. Tiene algo de lo que nosotros llamamos la tradición de las compañías de revistas, con sus pequeños «scketches», que es un fenómeno chileno y que tiene alguna similitud con el español, pero que es reconocido como nacional. Por algo el pueblo chileno la ha hecho su obra predilecta y la han visto más de un millón de espectadores reconociéndola como algo propio.

Dentro de la misma fórmula tuvimos *Los papeleros,* que es una obra de inspiración diametralmente opuesta a *La pérgola de las flores;* en lugar de tratar de crear la magia, la alucinación, por así decirlo, se trató de crear el distanciamiento, la sequedad crítica, y, por tanto, no tuvo el millón de espectadores. En cuanto a la «herencia» de Brecht, nuestro teatro establece algunas características propias, porque los temas críticos no los trata según el «distanciamiento», sino que procura envolver la denuncia en el reconocimiento sentimental de los personajes. *Los papeleros* son unas gentes que viven de la basura, un problema chileno, comiendo la basura, durmiendo en la basura y traficando con ella. A la vez que se reconocía en los personajes un papelero real que, como experiencia, sentamos en la butaca, él sabía que eran actores: es decir, que se producía una identificación del espectador con el personaje y, a la vez, sabía que los intérpretes eran participantes de una compañía de teatro. Se había conseguido una identificación distinta a la de Brecht, que siempre nos sitúa o en el Oriente o en un mundo demasiado distanciado de la realidad contingente, aun cuando emplee el distanciamiento para referirse a una realidad circunstancial y directa. Otros autores han sufrido una fuerte influencia de Osborne...

(De una entrevista con Eugenio Guzmán, publicada en el número 63 de la revista Primer Acto.)

EL AUTOR ENTREVISTA A LA ACTRIZ

En la cervecería «Baviera», de Madrid, entre vasos de cerveza y los irónicos comentarios de Luis Poirot.

AUTOR.—A mí me parece que toda mi obra está de alguna manera relacionada con tu nombre. Desde *El cepillo de dientes* (primera versión en un acto) he contado siempre con tu aporte. ¿En qué obras mías has trabajado hasta hoy?

CARLA CRISTI.—*El cepillo de dientes* chico y *El cepillo de dientes* grande en Madrid. *Requiem por un girasol, El velero en la botella, Variaciones para muertos de percusión* y en otras muchas futuras, espero.

AUTOR.—¿Qué ha significado como actriz para ti el trabajo en estas obras y dentro de la realidad teatral chilena?

CARLA CRISTI.—Para mí, trabajar en estas obras fue como encontrar mi camino en el teatro y, en parte, también fuera de él. Me he dado cuenta de que las obras que en realidad me interesan son las que «tienen algo que decir», comprometiéndose en una realidad actual insoslayable. Y, en este sentido, tus obras me han enriquecido. Para la realidad chilena, en mi opinión, eres el que «dice más», por eso eres uno de los grandes valores de nuestro teatro, porque estás atento a lo que *hoy* nos atañe *a todos*.

Y, por último, he de confesar (aunque eso no tenga nada que ver con las preguntas) que nunca me divierto tanto como cuando ensayo tus obras.

AUTOR.—Yo creo que en Chile —en algunos momentos determinados de algunos montajes— se produjo contigo esa complementación entre texto e interpretación creadora e imaginativa que hace *vivo* el fenómeno teatral. ¿Crees que en ese sentido debe haber un aporte del actor (o la actriz) que llegue hasta el punto de improvisar y sugerir modificaciones al texto durante los ensayos y contando con la participación del autor?

CARLA CRISTI.—Yo creo que sí, siempre que haya una absoluta compenetración entre autor e intérpretes. Yo he sentido, sinceramente, en algunos momentos del diálogo, que se alcanzan estados muy maravillosos en que uno se siente creando y compartiendo belleza. Eso justifica cualquier sacrificio en el teatro, por lo menos para mí.

AUTOR.—Al observar tu trabajo me ha parecido que tu interpretación tiene una cualidad que la hace muy actual y, a la vez, muy de acuerdo con el planteamiento formal de mis obras. Me refiero al desdoblamiento constante y a la vez a la síntesis que produce esa simultaneidad de personaje y actriz, el «juego» dentro del teatro, el sentido «crítico» dentro del Teatro. ¿Te sientes consciente de esa condición de tu interpretación? ¿Qué piensas respecto a la posición lúcida y crítica que debería tener el espectador moderno?

CARLA CRISTI.—Sólo a veces soy consciente de eso. Me sorprendo a mí misma entablando relación directa con la platea sin abandonar el personaje. Fundamentalmente, trato de *interesar* y comprometer al espectador. Esa es la obligación del espectador moderno, comprometerse junto a todos los que hacemos teatro. Recibir, en forma activa, lo que se le ofrece. Jamás conformarse. Jamás olvidarse. Jamás «soñar», si eso significa anestesia.

AUTOR.—Tanto en España como en Latinoamérica se puede observar el fenómeno de la «marginación» del teatro (y por ende, del actor) del cuadro social general. ¿Qué siente un actor respecto a este punto?

CARLA CRISTI.—Frustración constante.

AUTOR.—¿Crees posible un cambio de mentalidad en el actor

español o latinoamericano que haga posible el rompimiento de la rutina y la búsqueda de nuevos modos expresivos?

CARLA CRISTI.—Como el teatro es un espejo de lo que sucede en un país, se comprende que a país frustrado, teatro frustrado. País que tiene una actividad vital general, allí el teatro estará vivo. Así que el cambio no depende sólo del actor, sino de todo un país.

AUTOR.—¿Crees que el teatro (autores, directores, actores) que se está haciendo en ciertos países latinoamericanos aportaría algo al teatro español actual y serviría de acicate para su transofrmación?

CARLA CRISTI.—Por supuesto que sí, y no sólo el aporte del teatro latinoamericano, sino de todo teatro actual. Creo que eso podrá suceder cuando el autor, director, actores, se olviden que son españoles exclusivamente y piensen que son componentes de una familia artística mundial y que son contemporáneos de una historia trágica que se hace todos los días en el mundo.

II. JORGE DIAZ

A MANERA DE ALGO QUE NO SE LO QUE ES

Por Jorge Díaz

El cepillo de dientes y *La víspera del degüello* fueron escritas en Madrid entre febrero de 1965 y abril de 1966. Es, quizá, este el único rasgo que tienen en común, *Requiem por un girasol,* escrita en Chile en junio de 1961, fue mi primera obra de duración normal. España me produjo (y me produce todavía) un impacto constructivo y destructivo a la vez. Me suscita constantemente cólera y ternura. He necesitado (y necesito todavía) buscar un lenguaje, un cauce formal a esos sentimientos. Me muevo y actúo por impactación a mi sensibilidad. Es una manera de equivocarme honestamente. No he llegado a formularme una definición del hombre y de la vida, ni he podido hacer mías las que circulan tan frecuentemente y a tan bajo precio. Escribo porque *no* me conozco a mí mismo y porque asumir la vida de los demás es una tentación irresistible. En cualquier momento puedo contradecirme y, sobre todo, puedo reírme de mí mismo. Por sobre las formas y las modas (a las cuales me reconozco inconsciente seguidor), por sobre el papel de grave moralizador que muchas veces me gusta jugar, por sobre el caprichoso artificio de mi imaginación un poco culterana y diletante, me dominan la ira y la ternura. Sólo me siento próximo a la realidad en la violencia y la destrucción porque creo en ellas como el primer paso del amor.

No tengo principios estéticos. No sé siquiera si seguiré escribiendo durante mucho tiempo. Pero HOY quiero decir que NO y decirlo de una manera que todos sintamos vergüenza. Decir que *no* quiere decir formular un programa político, ni una ética religiosa, ni nada. Significa rechazar todo lo que nos impide acercarnos *con respeto* al misterio, a lo inexpresado, a la inefable dignidad del hombre, a la magia de su densidad, a los mundos desconocidos por todos e intuidos por pocos, acercarnos con respeto *al nudo de lo inexpresable* que es el corazón de los demás.

El cepillo de dientes

Un domingo (como todos los domingos) siniestro. Muerto de aburrimiento leía distraídamente un periódico (como todos los periódicos) idiotizante. Un aviso del consultorio sentimental llamó mi atención. Una mujer que firmaba «Esperanzada» decía «buscar un alma gemela». Al pie de la misma página se leía una información que traía el cable de la agencia noticiosa: «Un marido enfurecido había matado a su mujer al descubrir, después de ocho años de matrimonio, que ésta tenía el pie plano y se lo había ocultado.»

Diez horas después de leer eso terminaba una obra en un acto que decidí titular *El cepillo de dientes*. Me tomé tres cervezas y me fui a dormir. Cinco años después, en el café Lion, de Madrid, escribí el segundo acto.

La víspera del degüello

Estaba devorando canapés en un cóctel de una Embajada, en Santiago de Chile, mientras miraba distraídamente los escotes de las cultas damas diplomáticas. Imaginé una catástrofe de la cual fueran los únicos sobrevivientes algunos de los decadentes ejemplares que me rodeaban. Luego me olvidé.

Alguien me invitó a un cóctel en Madrid. Entonces me acordé. Rechacé la invitación y me puse a escribir un diálogo.

RÉQUIEM POR UN GIRASOL

Creo que todo empezó con un cuento que alguien me contó en mi infancia (o que yo imaginé que alguien me lo había contado). En el cuento alguien se comía un garbanzo y cuando se moría salía una planta de garbanzo que crecía y servía para subir por ella.

Este amalgamiento imposible de disociar de muerte y vida lo encontré perfectamente expresado en este verso de Vicente Huidobro: «...Cuida de no morir antes de tu muerte.»

Mientras unos se alimentan, nutren y viven de la muerte, otros esconden una vida frágil pero invulnerable.

DATOS BIOGRAFICOS

Hijo de padres españoles, Jorge Díaz nace en Rosario (Argentina), en 1930. Vive en Chile desde 1934 y está nacionalizado chileno.

Estudia Arquitectura en la Universidad Católica de Chile y obtiene el título de arquitecto en 1955.

Durante cuatro años se dedica a la pintura y al ejercicio de su profesión. Realiza exposiciones individuales y participa en colectivas.

Viaja por Europa durante el año 1958.

Desde 1959 colabora con el Teatro I. C. T. U. S. como actor de reparto y dirigente teatral de este grupo.

En 1961, I. C. T. U. S. estrena sus dos primeras obras en un acto. Desde entonces esta compañía teatral ha estrenado el resto de sus obras.

En 1964 actúa como presidente del Teatro I. C. T. U. S.

A comienzos de 1965 viaja a España, donde reside actualmente.

Desde 1963 se dedica exclusivamente a escribir.

Premios

«Premio de la Crítica 1961» por *Requiem por un girasol.*
«Premio Municipal de Santiago 1963» por *El velero en la bo-*

tella. «Mención especial Casa de las Américas», La Habana, Cuba, en 1965, por *Topografía de un desnudo.* «Laurel de Oro» por *Variaciones para muertos de percusión,* en Santiago de Chile en 1965. «Premio Calaf 1964» por su obra infantil *La mala Nochebuena de don Etcétera.*

Obras estrenadas

Un hombre llamado Isla, monólogo en tres momentos. *El cepillo de dientes,* obra en un acto. *Requiem por un girasol,* obra en dos actos. *El velero en la botella,* obra en tres partes. *El lugar donde mueren los mamíferos,* obra en dos actos. *Variaciones para muertos de percusión,* obra con dos variaciones. *El nudo ciego,* obra en tres tiempos. *El cepillo de dientes,* obra en dos actos.

Obras para niños, estrenadas

Serapio y Yerbabuena, obra en dos actos. *La mala Nochebuena de don Etcétera,* obra en dos actos.

Obras sin estrenar

Topografía de un desnudo, obra en dos actos. *La víspera del degüello,* obra en un acto. *El furor de la resaca,* obra en dos actos.

Obras sin estrenar infantiles

Los ángeles maúllan mejor, dos actos. Música de Vittorio Cintolesi.

Obras publicadas

Requiem por un girasol. Editada en octubre de 1963 bajo el patrocinio del Ministerio de Educación y el Servicio de Informaciones de los Estados Unidos en las Escuelas de Artes Gráficas.

El velero en la botella (texto íntegro). Aparece publicada en la revista *Mapocho,* dependiente de la Biblioteca Nacional de Chile, en el tomo I y núm. 1 de esa revista cultural.

El lugar donde mueren los mamíferos (texto íntegro). Aparece publicada en la misma revista *Mapocho* en el tomo III, núm. 3 de 1965.

El velero en la botella (texto íntegro). Aparece publicada en la revista *Primer Acto,* de Madrid, núm. 69, diciembre de 1965.

Variaciones para muertos de percusión (texto íntegro). Aparece publicada en el núm. 1 de la revista *Conjunto*, que edita la Casa de las Américas, La Habana, Cuba, octubre de 1964.

FICHAS TECNICAS DE SUS ESTRENOS

UN HOMBRE LLAMADO ISLA

(Un acto)

Monólogo en tres momentos. Estrenada por el Teatro I. C. T. U. S. en mayo de 1961 en la Sala «Talía», de Santiago de Chile.

Dirección ..... Claudio di Girólamo
Escenografía .... Hugo Cáceres
César Augusto Isla ... Jorge Alvarez

EL CEPILLO DE DIENTES

(Un acto)

Estrenada por el Teatro I. C. T. U. S. en mayo de 1961 en la Sala «Talía», de Santiago de Chile.

Dirección ..... Claudio di Girólamo
Escenografía .... Hugo Cáceres
Ella ....Carla Cristi
El .... Jaime Celedón

REQUIEM POR UN GIRASOL

(Dos actos)

Estrenada por el Teatro I. C. T. U. S. en el teatro «Petit Rex» en noviembre de 1961 en Santiago de Chile.

Dirección .... Jaime Celedón
Escenografía .... Luis Moreno
Emanuel .... Jorge Alvarez
Limpha .... Roberto Parada
Sebo .... David Gray
Gertrudis .... Nélida Rigoletti
Piti .... Malú Gatica
Evaristo .... Gonzalo Herranz
La mujer .... Carla Cristi
El vendedor de flores ... Julio Jung

EL VELERO EN LA BOTELLA

(Dos actos)

Estrenada por I. C. T. U. S. en el teatro La Comedia, de Santiago de Chile en junio de 1962.

Dirección ..... Claudio di Girólamo
Escenografía ..... Fernando Castillo
David .... Luis Poirot
Rocío .... Carla Cristi
El padre .... Roberto Parada
Tía 1.ª .... Clara Mesías
Tía 2.ª .... Jeanette Trouvé
Señora Tudor .... Eliana Vidal
Señor Tudor .... Jaime Celedón
El notario .... David Gray
La matrona .... Edna Campbell

EL LUGAR DONDE MUEREN LOS MAMIFEROS

(Dos actos)

Estrenada por I. C. T. U. S. en el teatro La Comedia, de Santiago de Chile en julio de 1963.

Dirección .... Jaime Celedón
Escenografía .... Jorge Díaz
Justo .... Enrique Heine
Arquímides .... Aníbal Reyna
María Piedad .... Eliana Vidal
Asunta ...... María de la Luz Pérez
Chatarra .... Jesús Ortega
Periodista .... José Pineda
Fotógrafo .... Luis Poirot

VARIACIONES PARA MUERTOS DE PERCUSION

(Dos actos)

Estrenada por I. C. T. U. S. en el teatro La Comedia, de Santiago de Chile en octubre de 1964

Dirección y
Escenografía Glaudio di Girólamo
Segundo .... Leonardo Perucci
Aleluya .... Marés González
Basilio .... Horacio Pérez
Edmundo ... Marío Hugo Sepúlveda
Encarnación .... Carla Cristi
Norambuena ...... Alonso Venegas
Ministro del Interior Enrique Heine
Director de TV ...... Juan Arévalo
Masajista .... Gonzalo Herránz
Empresario 1.º ...... Enrique Heine
Empresario 2.º ... Gonzalo Herránz
Empresario 3.º ...... Juan Arévalo

EL NUDO CIEGO

(Tres actos)

Estrenada por I. C. T. U. S. en el teatro La Comedia, de Santiago de Chile en marzo de 1965

Dirección .... Jaime Celedón
Escenografía ... Bernardo Trumper
El Juez .... Nissim Sharim
El Sangre .... Nelson Villagra
El Perro .... Fernando Bordeu
El Diamante ...... Nelson Villagra
Clara .... Inés Moreno

EL CEPILLO DE DIENTES o *NAUFRAGOS EN EL PARQUE DE ATRACCIONES*

(Dos actos)

Estrenada en el teatro Valle-Inclán, de Madrid, por Juan Carlos Victórica, el 17 de mayo de 1966.

Dirección .... Rubén Benítez
Escenografía .... Jorge Díaz
Ella .... Carla Cristi
El .... Agustín González

REQUIEM POR UN GIRASOL

(Dos actos)

Estrenada en el Teatro Nacional de Cámara y Ensayo (teatro Beatriz), de Madrid, el día 23 de diciembre de 1966

Dirección .... Rubén Benítez
Decorados .... Francisco Nieva
Música .... Carmelo Bernaola
Manuel .... Fabio León
Linfa .... Carlos Mendy
Sebo .... Francisco Merino
Vendedor flores ... J. Fco. Margallo
Gertrudis ... M. Esperanza Navarro
Pita .... María Paz Molinero
La Mujer .... Julieta Serrano
El Ciego .... Pedro Meyer

DE UNA ENTREVISTA A JORGE DIAZ

(Publicada en la revista *Primer Acto,* núm. 69.)

DÍAZ.—Mi visión del caos y del absurdo son fenómenos que se compaginan y que van entrañablemente unidos con una fe en el hombre.

Yo como autor (ateniéndome a lo expresado en mis obras y no a lo que pienso como individuo particular) tengo fe en una reordenación del mundo.

— ....

Mi teatro es, en primer lugar, un teatro que se rehace cada día. Yo mismo no podría explicar las coordenadas generales dentro de las cuales me muevo. Para mí, sí, es básico estar inmerso en la realidad latinoamericana. Yo me siento inconsciente vehículo de una expresión teatral latinoamericana. Esos son los grandes temas que me interesan, no precisamente los temas chilenos, locales (aunque, finalmente, si esas ideas generales son auténticas, «lo chileno» se verá expresado también allí). A mí me sucede esto: las presiones que siento dentro de mí y que me mueven a escribir, las grandes ideas y emociones básicas que me impulsan a expresarme, no tienen nacionalidad, *pero las siento comunes a muchos creadores latinoamericanos...*

MONLEÓN.—¿Qué supuestos entiendes que son los determinan

tes de ese sentimiento vigente y presente de latinoamericanidad?

DÍAZ.—Mis posibilidades de expresión de una realidad latinoamericana tienen relación con «los contrastes» entre una realidad *absurda* y la certeza de que existe una lógica interna de los acontecimientos que es despreciada por esta realidad absurda. Estos contrastes, para mí, llegan a ser de una violencia desmesurada que producen la distorsión y el absurdo en la forma dramática. El segundo elemento de presión sobre esa expresión latinoamericana es la gran violencia de la naturaleza. Siento de una manera vaga, que no sabría explicar, el impacto de la naturaleza, de esa tierra volcánica dura y en constantes cambios. Estos conceptos de «violencia», que yo siento, son constitutivos básicos de mi teatro. Yo me he traicionado algunas veces, porque es difícil ser siempre consecuente con uno mismo, sin embargo, he de decir que yo siento el teatro latinoamericano como un teatro de violencia, de contraste. La violencia se produce cuando es posible cambiar una situación, porque en el otro caso no hay violencia sino subyugamiento, agobio, aplastamiento. Yo siento la situación violenta como eminentemente positiva, transición hacia una superación.

MONLEÓN.—¿Cómo juzgáis desde Chile la cultura española contemporánea y en qué medida crees que es viva y válida para vosotros?

DÍAZ.—Tendría que suceder un fenómeno catastrófico para que la cultura española no signifique siempre una vertiente viva para el pueblo hispanoamericano. Es decir, los peores desastres de tipo político no van a invalidar nunca esa cultura. Para nosotros, sin embargo, el teatro español contemporáneo no resulta vigente por varias razones. Una es el estancamiento general del fenómeno teatral español. No me refiero solamente a los autores, sino a los montajes, a la actuación, a la cantidad de horas de ensayo, a la rigurosidad artística, etc. Ahora bien: yo estoy cierto que existen, no obstante, unos pocos autores realmente valientes y valiosos (generalmente no estrenados) y un cierto número de actores, directores y críticos de gran calidad (generalmente marginados o ignorados), pero éstos no son conocidos en América. La parte mejor de España no llega ni siquiera de oídas a Latinoamérica. Así, pues, la expresión visible de la cultura teatral española actual es mala y la valiosa y auténtica es ignorada tanto en España como en Sudamérica.

En Chile el teatro español es un paréntesis sobre el que aplican (en el mejor de los casos) toda clase de tópicos, prejuicios e indiferencia. Frente a esta actitud sólo cabe tener otra de comunicación real, de publicaciones, de giras y, sobre todo, de recibir y dar cabida (tanto en España como en Sudamérica) a los profesionales que quieran trabajar en esos países, realizar montajes y dar a conocer sus propios autores. Lo que me resulta absolutamente claro es que hablar todavía de «la crisis del teatro» es idiota. De lo único que hoy se puede hablar (y con terrible urgencia) es de «crisis de la sociedad». Sólo profundos cambios estructurales (que se avecinan y que será imposible evitar, por otra parte) traerán un aire renovador en el viejo y mamotrético edificio teatral.

....

El movimiento teatral chileno alcanzará un cierto grado de madurez cuando supere y rompa su doble confinamiento.

El primero: el ámbito burgués y restringido de un público minoritario que premia con un aplauso *snob* el bofetón que se le da en plena cara.

El segundo: el nacionalismo retrógrado que ha retrasado cien años el diálogo abierto entre países vecinos de una misma lengua. No somos un continente nuevo, somos un archipiélago. En el teatro de los demás países sudamericanos debíamos aprender a conocernos. Se impone el *diálogo* y el *intercambio*. Con España ya no son vigentes los términos tópicos de «Madre Patria» y «acervo cultural». Lo que hay que hacer con España hoy es un «frente común» por liberar a la cultura de males comunes: paternalismo, discriminación social en el acceso a la cultura, censuras coartadoras...

III. LA CRITICA

EL CEPILLO DE DIENTES

LA CRITICA CHILENA

Extractos de la crítica a El cepillo de dientes *aparecida en la prensa de Santiago de Chile después de su estreno en el mes de mayo de 1961.*

DE «EL MERCURIO», 13 de mayo de 1966.

El equívoco verbal, la repetición obsesiva, el automatismo, la caricatura del convencionalismo escénico, el falso eufemismo, animan esta nueva concepción de la comedia. Pero lo esencial me parece ser el abultamiento caricaturesco de los recursos, de los tópicos y de las fórmulas rutinarias de la dramaturgia tradicional. Si la esencia del teatro reside en la exageración de los efectos, resulta necesario exagerarlos aún más, subrayarlos, acentuarlos al extremo. Llevar el teatro más allá de esa zona intermedia que no es ni teatro ni literatura, es restituirlo a su propio marco, a sus límites naturales.

Parece urgente advertir que *El cepillo de dientes,* aún siendo eco cercano de un modelo cargado de prestigio (Ionesco), revela a un autor cuyos ensayos hasta ahora eran dudosos. En la obra estrenada en la sala «Talía» aparece rico de intenciones y dotado de encomiable capacidad para una forma superior de lo cómico y de una visión diestra de la arquitectura escénica.

En *El cepillo de dientes* el matrimonio es encarnado por Carla Cristi y Jaime Celedón. Estos papeles, de diálogo arbitrariamente absurdo, demandan a mi entender una constante situación del comediante en el clima atrabiliario de la comedia, un ritmo, y, paradójicamente, una naturalidad de la que depende el sorprendente efecto humorístico. Carla Cristi es una de nuestras jóvenes actrices mejor dotadas para la comedia. Logra un brillo y una tonalidad comunicativa singulares. El gesto y la espontánea expresión de los sentimientos se manifiestan con enorme simpatía a través de su juego fisonómico y de la ligera entonación farsesca dada al estrambótico personaje.

«CRITILO».

DE «EL SIGLO», 9 de mayo de 1961.

Díaz se revela sin lugar a dudas como un valor potencial de reales contornos entre nuestros autores jóvenes.

El cepillo de dientes es un diálogo de gran fuerza humorística y trágica simultáneamente. Esta conversación dislocada y absurda del matrimonio burgués recuerda los diálogos de *La cantante calva* o de *Jacques o la sumisión*. La violencia alternada con la risa, el exabrupto con la frase tierna, diálogo que por momentos se transforma en dos monólogos disparatados. La historia mostrada por Díaz, va del amor del noviazgo a la vida insulsa o rutinaria del matrimonio que no tiene nada que decirse. Todo enmarcado en la estridencia que caracteriza la sociedad moderna. Es ésta una visión desesperanzada, sin porvenir, puesto que los personajes terminan por destruirse, concepto negativo que es factible aplicarlo a un sector social en abierta decadencia, pero no como principio universal.

Lo importante es que ha surgido un nuevo autor de relevantes condiciones, del cual debemos esperar frutos definitivos.

ORLANDO RODRÍGUEZ.

DE LA REVISTA «EVA», 26 de mayo de 1961.

Ha debutado Jorge Díaz en la escena nacional, demostrando talento, imaginación y un conocimiento cabal de los recursos teatrales. Además, sabe llegar al espectador e introducirlo en los diferentes ambientes escenificados por él.

En *El cepillo de dientes,* un enfrentamiento cruel de un joven matrimonio a la hora del desayuno, Díaz explora acertadamente situaciones y hechos de nuestro ambiente en forma satírica, con un humor que consigue arrancar carcajadas a lo largo de toda la obra, pero, al mismo tiempo, una reflexión crítica por parte del espectador.

Carla Cristi y Jaime Celedón son los dos actores que, bajo la dirección de Claudio di Girólamo, desempeñan una labor particularmente eficaz.

María Angélica Aguilera.

DE LA REVISTA «ERCILLA», 10 de mayo de 1961.

Jorge Díaz se revela en su debut teatral como un autor imaginativo, fresco, pleno de condiciones escénicas. Escribe bien, sin grandilocuencia literaria, y sabe lanzar el juego de la broma o de la emoción tocando directamente al público.

La comedia-diálogo *El cepillo de dientes* hace reír de punta a cabo. Saben a poco los cuarenta minutos. Todo transcurre durante el desayuno de un joven matrimonio: Ella (Carla Cristi) y El (Jaime Celedón). La pareja aparece a la luz de un humor suelto, lozano, a veces totalmente disparatado, pero eficaz y jugoso. Mientras discuten brota una humorística sátira a algunos rasgos de nuestra época. A través de las lecturas favoritas de los esposos (los diarios «serios» y los tabloides), la publicidad, la radio, los consultorios sentimentales, los horóscopos, cada uno define su sexo y sus preferencias. Junto a las bromas, el diálogo adquiere sentimiento cuando la esposa se desdobla como una mujer que firma «Esperanza» y el marido como «Pepe solo».

Los dos intérpretes lucieron verdadero talento cómico en sus papeles. Muy ágil la dirección de Claudio di Girólamo. El público aplaudió con vehemencia.

Hans Erhmann.

LA CRITICA ARGENTINA

Extractos de la crítica aparecida en la prensa de Buenos Aires a raíz del estreno de El cepillo de dientes *el 23 de mayo de 1967 en el Teatro del Globo.*

DE «CLARIN», 24 de mayo de 1967.

Basta haber firmado *El cepillo de dientes* para tener derecho a ser considerado como un autor sólido, hábil y capaz dentro de esta línea del teatro moderno que transcurre en el plano de lo psicológico. Jorge Díaz es absurdo, pero no Ionesco; es iracundo, pero no Pinter; es sutil, pero no Beckett; es agresivo, pero no Osborne; es violento, pero no Albee. Ni tampoco una mezcla de ellos. Posee el raro privilegio de la originalidad y el don de presentar lo original bajo luces que le dan aspectos inesperados. Su faena tiene hondura a veces abismal, disimulada bajo una detonante carcajada...

DE «CONFIRMADO», 1 de junio de 1967.

No es la primera vez que el teatro de Jorge Díaz, que a los 35 años es uno de los principales dramaturgos latinoamericanos, llega a un escenario porteño.

El año pasado, el Teatro Fray Mocho estrenó *El lugar donde mueren los mamíferos,* una socarrona, divertida y formalmente deslumbrante crítica a las sociedades de beneficencia en un subdesarrollado país del Cono sur. Aunque el espectáculo no tuvo proyecciones sobre el público, bastó esa obra para calibrar la capacidad de Díaz; no solo su penetrante sentido del humor, sino también su profundidad.

Estas variantes creadoras se reiteran en *El cepillo de dientes,* una parábola sobre la incomunicación o la ambigüedad de la comunicación entre los sexos; una reflexión sobre los efectos erosionantes de lo cotidiano en la pareja y el matrimonio.

DE «PRIMERA PLANA», 30 de mayo de 1967.

Para los pocos enterados que otra obra de Díaz, *El lugar donde mueren los mamíferos,* ya fue estrenada en la Argentina el año anterior, *El cepillo de dientes* es una revelación. Muchos querrán encontrarle concomitancias temáticas y formales con el teatro europeo del absurdo, como el de Eugenio Ionesco, Samuel Beckett y Harold Pinter; pero el intento, en todo caso, se limitará a una suerte de comprobación estadística. Lo cierto es que Díaz, manejándose con los materiales ideológicos y los planteos estilísticos del arte contemporáneo, edifica una visión propia del teatro.

En *El cepillo de dientes,* símbolo de la más acendrada individualidad en la pareja matrimonial, el autor chileno soslaya la fatídica incredulidad sobre la posible comunicación y establece entre sus dos únicos protagonistas un fastuoso juego de estímulos capaces de aventar la ignominia de la costumbre y la vulgaridad de lo cotidiano.

DE «PRIMERA PLANA», 30 de mayo de 1967.

El cepillo de dientes puede ser considerado como una antífrasis de *¿Quién teme a Virginia Woolf?*, pero en lugar de ferocidad como docencia de la pieza de Albee, el autor chileno Jorge Díaz ha escrito este «Manual para sobrevivir en el matrimonio», como una serie de alegres chisporroteos cargados de talento, como un ritual lúdico. Esto último, quizá, lo emparenta con *El amante* de Pinter, pero el vínculo será simplemente putativo.

Con maestría de prestidigitador, Jorge Díaz no introduce entre juego y juego ningún elemento de enlace. Procede por cortes directos, lentas mutaciones o brevísimos hiatos.

DE «LA NACION», 30 de mayo de 1967.

En el Teatro del Globo se ha estrenado *El cepillo de dientes,* del autor chileno Jorge Díaz, de quien se conoce aquí *El lugar donde mueren los mamíferos,* obra en la cual la sátira y el humor señalan rasgos peculiares de este hombre de teatro, considerado como una de las figuras principales de la renovación escénica de su país.

El cepillo de dientes es su primera obra y originalmente tenía un solo acto; más tarde, Díaz la dividió en dos, luego de acrecentar su texto, transformación que a nuestro juicio es dañosa, pues alarga la obra innecesariamente con elementos de acumulación y hasta la frivoliza al convertirlo en medio de lucimiento de dos actores.

El cepillo de dientes no disimula su carácter de obra primeriza. Díaz dijo de ella que era producto de sus contactos con el teatro contemporáneo, y pueden advertirse influencias de Ionesco y Genet.

LA CRITICA ESPAÑOLA

Extractos de la crítica de El cepillo de de dientes *en su nueva versión en dos actos estrenada en Madrid y aparecida en la prensa española en el mes de mayo de 1966.*

DE «ARRIBA», 18 de mayo de 1966.

El lenguaje teatral absurdo, que usted tan ricamente emplea en su comedia de anoche, es de las pocas cosas que en la farmacopea teatral hemos inventado los españoles últimamente. Aquí sé la fuente exacta. Me refiero a Jardiel Poncela... El noventa por ciento de los actuales autores de humor utilizan el absurdo lógico como motor de sus comedias y el diálogo absurdo como expresión. Y usted, Jorge Díaz, lo hace con una novedad, personalidad y eficacia que me han gustado mucho y creo que al público también. Tranquilo... Porque para el diálogo absurdo hay tantas fórmulas como ingenios. No es un producto. Es una técnica. Jardiel tenía la suya. Mihura, otra muy distinta. Y usted, Jorge Díaz, la suyísima. Usted la aplica sobre un tema que hemos convenido en llamar clásico (el adulterio con la propia esposa).

El primer mérito personal que observo es cómo juega usted con la mecánica del coloquio y, por ende, con el público. Este, casi toda la primera parte, no sabe a dónde va. Unas veces habla usted muy en serio, muy liso, y de pronto se salta las bardas de lo normal y se planta en el corral del absurdo. Guarda usted muy bien las formas de la broma y la sorpresa. Y tiene mucha frescura.

F. GARCÍA PAVÓN.

DE «A B C», 19 de mayo de 1966.

Jorge Díaz es un autor chileno que llega por vez primera a los escenarios españoles con una obra en la que, tal como ocurre en todos los dramas de Harold Pinter, el asunto se desarrolla en una sola habitación, y como en la obra de Pinter *(El amante)* y en otra de Simpson *(La forma),* de lo que se trata es de superar la incomunicación por vía imaginativa y sádica. *El cepillo de dientes* es la organización de una fantasía sexual mediante la cual una mujer y un hombre tratan de encontrarse. Ambos buscan otra realidad que los potencie emocionalmente. La habitación única (el parque de atracciones) es el palenque en el cual se lanzan uno contra otro con el objeto de transformarse y superar a través de las ilusiones frenéticas el gran problema de la incomunicación.

Estamos, pues, ante una obra vanguardista (a un lado Antonin Artaud; al otro, Jarry) que, irremediablemente, posee nutrida ascendencia. Lo importante es el toque del autor, ya que actúa sobre pautas conocidas. En este sentido, Jorge Díaz tiene excelente pulso. La resolución teatral del drama mediante el desdoblamiento de la esposa endereza enérgicamente una situación que en ciertos momentos del primer acto no corría. Desde luego, el instinto teatral del autor es evidente si consideramos lo que ha hecho con dos personajes encerrados en una habitación. Desde el primer momento es notorio que están encerrados no tanto en una habitación como en la vida y que actúan en representación de todo el mundo.

CARLOS LUIS ALVAREZ.

DE «EL ALCAZAR», 19 de mayo de 1966.

Jorge Díaz ha elegido para defender su tesis (en muchos matrimonios la «inseparabilidad» va unida a la «intolerabilidad») el difícil y peligroso camino del absurdo. Y ha acertado en ello.

Totalmente. Los diálogos resultan, la mayoría de las veces, originales, ingeniosos, graciosos, disparatados e incisivos... Sabe apoyar las charlas del matrimonio protagonista en los distintos anuncios de la prensa, en los textos increíbles de los más extraños pero reales avisos y reclamos... Y desarrolla su trama con sentido moderno del teatro, valentía, buen humor y perfecta técnica en la construcción.

La comedia, no obstante, presenta claros altibajos. Y se ofrece excesivamente reiterativa en todo su primer acto. Pero, de todas formas, tiene ese interés único de lo nuevo, de lo personal, de lo sincero y de lo valiente.

Resumen: el público, sorprendido y divertido, se interesó mucho por la pieza. Y rió y aplaudió con alegría y entusiasmo.

ARCADIO BAQUERO.

DE «LA CODORNIZ»

El estreno de *El cepillo de dientes* ha sido una fiesta. Se trata de una situación básica, clara, casi cómica, llevada a sus últimas consecuencias. Es un estudio de una relación matrimonial contrastada con la conocida técnica ionesquiana de las asociaciones libres de ideas. De esa forma la estructura teatral desaparece y deja paso a un tratamiento del tema que es, al mismo tiempo, anárquico y estimulante. Digo esto porque Jorge Díaz no se burla; se sitúa, con una sonrisa simplemente, ante el espectáculo de las relaciones entre un hombre y una mujer y respira comprensión sin abandonar una violencia satírica de la más moderna estirpe literaria.

Jorge Díaz siente el teatro hispanoamericano como un teatro de violencia y contraste, un teatro audaz y, al mismo tiempo, moralista. Lo que va de un sajón a un latino, o si se quiere de un inglés a un chileno, es lo que va de *El amante,* de Pinter, a *El cepillo de dientes,* de Díaz. Variaciones ambas sobre un tema de incomunicación entre hombre y mujer, variaciones muy próximas a ratos y a ratos muy remotas. No es esa la menor de las cosas que nos ha enseñado la presencia en España de uno de los más jóvenes y brillantes autores de nuestra lejana y amiga comunidad americana.

«ARCÁNGEL».

REQUIEM POR UN GIRASOL

LA CRITICA CHILENA

Extractos de la crítica después del estreno de Requiem por un girasol *en Santiago de Chile.*

DE LA REVISTA «ECRAN»

Estamos ante una obra experimental y el espectador común se desconcierta, no encuentra la clave que le permita comprender lo que ocurre en el escenario.

En *El cepillo de dientes,* Díaz probó que domina la técnica teatral. Aquí la olvida. Y, sin embargo, impresiona profundamente. Los que aceptan su desafío y escuchan con atención su lenguaje van de sorpresa en sorpresa: nos encontramos ante un auténtico creador que hace derroche de ingenio.

Aplaudimos su búsqueda. Hacen falta dramaturgos que experimenten de verdad, pero sin concesiones.

MARIO CRUZ.

DE LA REVISTA «EVA»

A lo largo de los dos actos, Jorge Díaz logra plenamente el impacto que esconde una aguda crítica social. Con precisión y síntesis escénica nos ofrece un retrato exagerado y patético de la actual deshumanización del hombre. Puede ser que algunos de sus personajes estén apenas bosquejados, pero ello contribuye a fortalecer innegablemente los dos primeros: el insensible y morboso señor Linfa y el esclavo de su propia situación y angustia, el humano Manuel.

En conjunto, dirección, actores y obra dieron a *Requiem por un girasol* una densa homogeneidad.

MARÍA ANGÉLICA AGUILERA.

DE «EL DIARIO ILUSTRADO»

...Con lenguaje moderno y penetrante, la obra toca muy profundamente aspectos de esta época nuestra, de este mundo que trata de suplir con su progreso lo que siempre ha llenado el espíritu humano. *Requiem por un girasol* es una farsa macabra. La risa brota, pero con la reticencia de lo macabro. El espectador no sabe en algunos momentos si reír o callar.

La obra está llena de simbolismos: la música de un circo que pasa y que Manuel sigue con los ojos anhelantes, la posición de feto que adopta cuando muere. Manuel será enterrado en el ataúd destinado a un animal y en un cementerio de animales. No importa. Era un ser humano, vivía, vive y era capaz de amor y de fe. («Todos tenemos que esperar.») *Requiem por un girasol:* el último canto por algo que ha dejado de existir: las flores naturales, la verdad...

G. I. V.

DE LA REVISTA «ERCILLA»

Requiem por un girasol es la mejor obra nacional estrenada este año. Además, gracias a su original sentido del humor, debe convertirse en un éxito de público. Hace reír, pero al mismo tiempo obliga a pensar.

Hay cierta afinidad entre el autor nacional y Ionesco, pero también hay diferencias fundamentales.

El teatro de Díaz es más directo que el del muchas veces hermético autor franco-rumano. Además tiene un sentido de ternura y poesía que no suele ofrecer el teatro de vanguardia de París.

El humor de Díaz es ácido y a veces casi tan negro como el de un «chiste cruel». Tiene por blanco los convencionalismos huecos y la hipocresía. Ataca a la vocinglería huera e industrializada que rodea a la muerte y a todo aquello que priva a las cosas sencillas de la sinceridad y de su sentido poético latente. Censura aquello que significa la muerte en vida. La mezcla de humor negro mordiente y ternura, de brillo formal y de hondura de contenido, son los factores que dan calidad a *Requiem por un girasol.*

HANS ERHMANN.

LA CRITICA ESPAÑOLA

Extractos de la crítica aparecida en la prensa de Madrid a raíz del estreno de Requiem por un girasol.

DE «A B C», 27 de diciembre de 1966.

Se presenta la comedia *Requiem por un girasol* como una obra *pop;* como la primera obra *pop* ofrecida al público de Madrid. Eso afirma la Comisaría que patrocina el estreno. Es posible que Jorge Díaz haya pretendido realizar una comedia dentro de esa corriente artística. Es también indudable que *Requiem por un girasol* es una especie de paella teatral, en la que hay de todo abundantemente, y que lo *pop* queda reducido al *comic* que ilustra el programa y en cierta someridad de las situaciones que inmediatamente son anegadas por la logorrea del autor, influido por diez o doce autores famosos más o menos de vanguardia que no es menester enumerar.

No hay novedad radical alguna en este ensayo de Jorge Díaz, más cargado de simbolismo que de otra cosa. Y el simbolismo está muy lejos de ser un fenómeno nuevo en el teatro. Hay, pura y simplemente, un elemental paralelismo entre la muerte y la conducta del hombre ante la vida. Ridículas ceremonias para el ser que muere y brutal indiferencia para el que nace. Ternura de cierta sociedad ante lo inferior y egoísta indiferencia ante lo humano. Eso se ha dicho mil veces en el teatro y con mayor eficacia. Eso se ha dicho estableciendo una comunicación entre la sala y el escenario. Jorge Díaz lo dice con excesiva altisonancia, con carga de literatura puramente verbal y riguroso aburrimiento.

LORENZO LÓPEZ SANCHO.

DE «ARRIBA», 24 de diciembre de 1966.

Jorge Díaz es un dramaturgo chileno interesante, muy interesante. Jorge Díaz es un autor con gran crédito en el teatro joven. Jorge Díaz en su *Requiem por un girasol* de anoche quiere decir muchas cosas, alude a problemas muy fundamentales en la sociedad contemporánea y se burla con habilidad de ciertas ceremonias y absurdas incongruencias de los hombres... Pero creo que no consiguió en absoluto interesar al público. Este señor Linfa, que negocia en pompas fúnebres para animales domésticos, su comportamiento con Manuel y los simbolismos que entre ambos temas encierran, a medida que andaba la obra se nos iban quedando lejanos, como lucubraciones sin calor alguno. Ni siquiera como divertimiento literario. Claro que en un teatro de ensayo estamos y de ensayar se trata.

Desearía con toda mi alma haberme equivocado, por la simpatía que siempre me inspira todo autor que quiere dejar los caminos trillados, las comedias de receta y los pasatiempos burgueses...; pero me temo que no, que no me equivoco.

Los mejores escritores a veces revelan un mundo con pocas palabras... Otros no revelan nada con las concepciones más complicadas.

F. GARCÍA PAVÓN.

DE «YA», 24 de diciembre de 1966.

Creo sinceramente que para intentos como éste de Jorge Díaz, autor que no es nuevo para nuestro público, es para lo que está el Teatro de Cámara y Ensayo.

Requiem por un girasol es, desde luego, una obra de vanguardia, pero con indudables calidades positivas que denotan una evidente personalidad del autor. Que el procedimiento sorprenda un poco no es de extrañar, pero hay que irse haciendo. Y cuando se advierte una honrada y cierta intención dramática, un buen diálogo, una sátira social y humana del todo plausible y, en suma, una obra que revela una categoría de autor, importa extremar la cautela y no dar por hecho que no hay más teatro que el que conocemos, sino que hay un más allá en cuya pesquisa se anda, lógicamente.

Digo sinceramente que a mí me parece ver en Jorge Díaz a un autor de teatro y que la obra de anoche no me molestó y me pareció interesante. *Requiem por un girasol* es una obra llena de hondas sugerencias y Jorge Díaz es un autor. Eso es lo que pienso y como lo pienso, lo digo.

N. GONZÁLEZ RUIZ.

DE «DIGAME», 30 de diciembre de 1966.

Requiem por un girasol, obra del escritor chileno Jorge Díaz, cumple briosamente con su cometido.

Tal vez lo menos logrado en ella sea la peripecia argumental, que se nos antoja poco clara y contundente; pero como contrapeso hay un diálogo nuevo, bien pergeñado de imágenes vivas y sorprendentes contrastes; un diálogo que rezuma un ácido humor y un sentido nada vulgar de lo satírico. Los tipos de *Requiem por un girasol* están bien concebidos y se manifiestan con ese desenfado expresionista que parece ser la tónica del teatro de avanzada. Y los efectos y trucos son de la mejor esencia teatral.

No es fácil dirigir obra de tales características y ello valora más la labor del director Rubén Benítez, que la ha montado y dirigido con parsimonia y severidad, dándole un ritmo sereno, casi solemne en algún instante, armónico siempre.

Fue muy bien interpretada por un conjunto de excelentes actores...

F. GALINDO.

IV. LA PUESTA EN ESCENA

POR QUE HE DIRIGIDO *EL CEPILLO DE DIENTES* Y *REQUIEM POR UN GIRASOL*

Por RUBÉN BENÍTEZ.

Entiendo al teatro como un acto *vivo* dentro de una estructura escénica. En este juego estructurado se mueven cuerpos sensibles que exigen un *presente* de existencia. Este mundo de presencias, ideas, lugares, sonidos, colores y formas infinitas es contemporáneo de otro mundo que lo acompaña: el público. Esta contemporaneidad público-escenario es la esencia del arte dramático. Cuando esta correspondencia se quiebra, el teatro se convierte en un cuerpo muerto. En toda sociedad *sensible* deben existir los elementos que alimenten esta *unidad*. Cuando una sociedad se desentiende del hecho teatral está confesándose incapaz de crear su propia participación. El porqué una sociedad no participa *vivamente* en proporción justa del hecho teatral es un tema de profunda meditación que debe explicarse a nivel sociológico. Las conclusiones de esta problemática servirían para poder intentar edificar un movimiento dramático con raíces verdaderas.

No creo en el teatro que divierte gratuitamente; ni tampoco, en el discurso literario que destruye el juego espontáneo de las vivencias. Las situaciones y formas sensibles que se crean en la escena deben corresponder a las motivaciones vitales del público que las recibe. De esta forma, los temas y conflictos expuestos serían comprendidos y asimilados mejor por ese mismo público sin resistencia alguna. El desencanto del público con el teatro actual es quizá la mayor fractura que sufre la cultura de nuestro tiempo.

De lo que más se habla en los ambientes teatrales es de la crisis del teatro. Nace quizá esta preocupación de la falta de interés que el público demuestra por los espectáculos teatrales. Un panorama tan conflictuado como el expuesto soporta toda suerte de soluciones y especulaciones burocráticas. El teatro se convierte en una cifra, en un resultado contable. Se parte siempre, equivocadamente, de las estadísticas que proporcionan las recaudaciones. Se transita repetidamente por el viejo camino de que el teatro tiene que ser un brillante negocio. Si se quiere construir un *teatro nuevo* se debe condicionar adecuadamente este principio absurdo.

Dudo, al observar el panorama, que se quiera cambiar la realidad del teatro. Además, en muchos lugares de este mundo, otros son los espectáculos que interesan a cierta clase dirigente. Hay espectáculos que ayudan a los pueblos a la evasión; otros, como el teatro, a la reflexión. Ayudar a tomar conciencia a los pueblos con la problemática histórica que les toca vivir, es abrir arriesgadamente un ancho camino a la crítica y la acción. ¿Hasta qué niveles una sociedad está dispuesta —o preparada— para admitir esta consecuencia? Es, creo, lo primero que tenemos que saber: la sinceridad de un medio social que se dice interesado por el arte y la cultura actual. Las contradicciones en el desarrollo de las soluciones arbitradas demuestran, muchas veces, una culposa incapacidad. Si existe una crisis del teatro es porque hay una sociedad en crisis... Y nada más. Creer que el teatro es una manifestación ajena a los problemas comunes de la cultura es destinarle un lugar para el cual no ha nacido. Teatro y sociedad conforman en esencia una absoluta correspondencia.

Hoy el mundo está de parto. La esperanza de un teatro nuevo surgirá de las nuevas formas de vida por llegar. Paralelamente, una nueva estética constituirá los pilares de una nueva sociedad. Esta sociedad, sin alienaciones de ninguna naturaleza, sostendrá y proyectará en el tiempo el teatro que la represente.

Todo dramaturgo *propone* un universo sensible. Representar una obra teatral significa un *compromiso*. Precisar el contenido dramático, estético e histórico de esta proposición, es comprometer en el intento escénico un *lenguaje de comunicación*. Toda obra *no* comunicada adecuadamente es un universo mutilado. Si un dramaturgo es consciente de su realidad, los personajes creados por él responderán, en parte, a sus experiencias.

La importancia de Jorge Díaz como dramaturgo nace de la legitimidad crítica de los planteos dramáticos que en sus obras desarrolla.

Aparte de la habilidad que demuestra para construir y crear situaciones, Jorge Díaz lleva consigo un lenguaje escénico que intenta respuestas a muchos problemas del mundo actual. El desamor por la vida en el hombre, los rituales vacíos de contenido y vivencias, el poder mutilando la razón de la historia, el dolor injusto, las diferencias sociales creadas y proyectadas para explotar indignamente al hombre, son temas que Jorge Díaz elige. Esta elección proyecta su dramaturgia a un nivel universal, medida raramente observada en obras de otros escritores latinoamericanos. Jorge Díaz es un dramaturgo de este tiempo y su obra aporta a la cultura universal el drama de una realidad injustamente considerada. No solamente se malentiende la vida de los pueblos de más allá del Atlántico —hablo de Latinoamérica—, sino que también la obra de sus artistas. Es deber de todos aquellos sinceramente preocupados por este raro fenómeno trabajar, sin claudicaciones de ninguna naturaleza, por un mejor conocimiento de las nuevas generaciones de artistas latinoamericanos. El arte, como la vida o el hombre, son una realidad universal. Jorge Díaz con su teatro *propone* una temática *viva*. El verdadero conocimiento de una realidad exige vitalidad a las ideas que tratan de explicarla.

Cuando conocí la obra de Jorge Díaz supe instintivamente que estaba frente a una dramaturgia auténtica. El deseo firme de dar a conocer su obra en España encontró sentido cuando se levantó por primera vez el telón de *El cepillo de dientes* en el teatro *Valle-Inclán*.

Conozco toda la obra de Jorge Díaz. He estrenado en Madrid dos de sus piezas: *El cepillo de dientes* y *Requiem por un girasol*.

Necesito una *idea* para montar un espectáculo. El montaje de *El cepillo de dientes* nació de las primeras ideas que la obra tiene: «¿Qué hay que hacer para sobrevivir a un amor tremendo...?» Sobre esta situación dramática construí los *juegos* escénicos, tratando de expresar en el contenido de sus formas la voluntad inquebrantable de dos seres, luchando por encontrar en la convivencia la voluntad de supervivencia. Esto es para mí *El cepillo de dientes:* una voluntad de sobrevivir amando. Cuando un sentimiento determina una conducta, la vida privada pierde su gratuidad. Importa recordar ahora que esta obra tiene dos personajes solamente. Y ellos crean todo el mundo que necesitan para sobrevivir. La fuerza de tal voluntad representa algo más que una circunstancia.

Requiem por un girasol es una obra de color totalmente distinta. En ella se juegan situaciones insólitas y absurdas. La funeraria de animales es el ambiente donde lo vivo y lo muerto contrastan la existencia de algunos seres que no perciben esta abismal diferencia.

«Cuando se pierde la dignidad, siempre se termina muriendo...», dice uno de los personajes. Aquí está el corazón de la idea que hizo posible su montaje.

Trabajar una obra de Díaz es una experiencia refrescante. Espero estrenar otras obras suyas. Como creo en su teatro, siento que es para mí una forma de afirmar lo que pienso de las cosas.

V. TEXTOS INTEGROS

LA VISPERA DEL DEGÜELLO

O

EL GÉNESIS FUE MAÑANA

ACTO HOMICIDA

«*...Y anocheció, y luego amaneció: Día primero*»

(GÉNESIS, 1, 5)

(La obra podrá representarse en cualquier sitio medianamente despejado: un escenario vacío, un entarimado o un claro producido entre las sillas de una sala.

Al apagarse la luz del recinto y sobrevenir la oscuridad, se produce un gran silencio.

Se empiezan a escuchar risas infantiles, ingenuas, acompañadas, quizá, por instrumentos de cuerda. En medio de la oscuridad, se escucha una sorda, lejana y violenta explosión que quedará un momento vibrando en el aire, como en un ámbito vacío, lleno de ecos y extrañas resonancias.

La explosión ha apagado las risas. Esta explosión puede acompañarse de un único y súbito resplandor que, como un gigantesco flash, ilumina el escenario o el espacio de actuación, para sumergirlo nuevamente en las sombras. Una luz débil ilumina, poco a poco, el espacio destinado a la actuación.

Entra una muchacha sucia, desgreñada y descalza con algo de salvaje y puro en la expresión. Cubren su cuerpo unos harapos indescriptibles que le llegan a los pies y le ocultan absolutamente las formas del cuerpo.

Un pie lo lleva descalzo y el otro protegido y recubierto de trapos. En realidad, toda ella es una masa informe de trapos sucios, de los que emerge una cara de animal joven de rápidos reflejos.

Sus movimientos son bruscos y tienen la falta de coordinación general que se encuentra en algunos tipos de demente. Emite ruidos y articula incoherencias. Se ríe muy rara vez. Los ojos, sin embargo, están siempre atentos y reflexivos. Lo que debe comunicar al público es una especie de desgarramiento profundo e instintivo, casi aterrador, como el que se siente frente a ciertos hechos inexplicables de la naturaleza.

Entra y se sienta con las piernas abiertas en el suelo, dejándose caer simplemente, y se mira fijamente la palma de la mano izquierda, emitiendo unos ruidos guturales.

Casi inmediatamente se oyen unas voces fuera del espacio iluminado.)

VOZ DE CUSTODIO.—¿Dónde te has metido?
VOZ DE HOSANNA.—*(Riendo)* La infeliz cree que ya terminó.
VOZ DE CUSTODIO.—¡Estúpida, ven acá!... Esto es apenas el comienzo y no el fin de nada.
VOZ DE HOSANNA.—Me cansa verla.
VOZ DE CUSTODIO.—No es necesario verla, querida. Sólo dejarse empujar por ella.

(Ahora las voces siguen dialogando, pero sus palabras o el significado de las mismas se pierden o se hacen confusas. La loca (la llamaremos así por ahora, aunque no estemos seguros en absoluto que lo sea), se ha levantado en forma instintiva y sale un momento. Vuelve a entrar arrastrando chatarra. Deben ser grandes trozos de chatarra oxidados, de procedencia absolutamente imposible de determinar. Podrían ser restos de una gran catástrofe o simplemente las excrecencias de una civilización técnica muy avanzada. El aspecto general que da la chatarra que la loca irá acumulando al fondo es misterioso, horrible y a veces tan poco insólito como un vaciadero de desperdicios. La iluminación lateral valorizará las agresivas irregularidades del metal oxidado.

La loca ha entrado ya una buena cantidad de chatarra y ha desaparecido una vez más, siempre emitiendo ruidos guturales que, en algún momento, puede pensarse que se trata de un canto.

Aparecen, casi inmediatamente, HOSANNA *y* CUSTODIO. *Son muy viejos.*

Ella vestida con un traje de novia ajado del que cuelgan algunos jirones que ella a veces recompone y ordena en forma casi involuntaria, como un viejo tic repetido durante años. Su rostro está empolvado y retocado en forma patética. Todavía lleva en una mano un «bouquet» marchito. En la otra mano, un bastón metálico. Cojea.

El, con pantalones rayados de etiqueta y chaqueta negra. Los codos y el cuello algo sebosos, un clavel marchito en el ojal. Ambos se ven algo polvorientos, aunque mantienen una dignidad que no es ridícula en absoluto, sólo quizá algo desconcertante.

CUSTODIO *empuja un destartalado cochecito de niño, como los que usan algunos recogedores de materiales en desuso.*

Efectivamente, dentro del cochecito alcanzan a asomarse útiles heterogéneos e insólitos y también los bordes de una sábana algo sucia y un almohadón. CUSTODIO *y* HOSANNA *conversan con animación, pero no se muestran ni alterados ni muy excitados con sus relatos. Una especie de diálogo convencional de rutina, un mutuo acuerdo de no hostilidad flota entre ellos, a veces roto por súbitos estallidos de violencia contenida. Entran continuando una conversación.)*

HOSANNA.—¿Copulaban, Custodio?
CUSTODIO.—Copulaban, Hosanna.
HOSANNA.—¿Ahí mismo...?
CUSTODIO.—Ahí.
HOSANNA.—Lo imaginaste. Siempre imaginas cosas así.
CUSTODIO.—Una encima de la otra. A la vista de todos.
HOSANNA.—Dijiste en la boca.
CUSTODIO.—Sí, en la boca.
HOSANNA.—¿No sería un poco más abajo? Simplemente un poco más abajo.
CUSTODIO.—No.
HOSANNA.—En el mentón, por ejemplo.
CUSTODIO.—No. Copulaban sobre la boca.
HOSANNA.—Es increíble.
CUSTODIO.—Sí. *(Pequeña pausa.)*
HOSANNA.—¿Por qué mirabas?
CUSTODIO.—¿Qué?
HOSANNA.—Eso.
CUSTODIO.—Miraba.
HOSANNA.—Es vergonzoso, Custodio. Dos moscas montadas sobre la boca de alguien.
CUSTODIO.—No era alguien.
HOSANNA.—Dos moscas lujuriosas.
CUSTODIO.—Dije que no era alguien.
HOSANNA.—¿Qué?
CUSTODIO.—Por lo menos alguien cualquiera.
HOSANNA.—Uno tiene que limpiar las cosas antes de mirarlas, Custodio.
CUSTODIO.—Ya no era nadie. Estaba muerto.
HOSANNA.—¿Muerto?
CUSTODIO.—Bien muerto. Miré las moscas primero. Se movían activamente. Luego miré los labios. Después lo demás.
HOSANNA.—¿Lo demás?... ¿Había algo más?
CUSTODIO.—Ojos, nariz, todo eso.
HOSANNA.—¿Como una cara?
CUSTODIO.—No como una cara. Era un muerto.
HOSANNA.—¿De veras? *(Se ríe.)*
CUSTODIO.—Sin piernas.
HOSANNA.—¿Le faltaban las piernas? No tiene sentido. Bueno, creo que deberías comenzar todo de nuevo, Custodio. Lo primero es lo primero. Sentiste un vago malestar, abriste los ojos y oíste un aleteo, ¿no es eso?

CUSTODIO.—No dije que le faltaran las piernas, sino que no se le veían.
HOSANNA.—Después del aleteo sentiste el jadeo de las moscas.
CUSTODIO.—No se le veían porque estaban tapadas por una cosa.
HOSANNA.—¿Estás seguro que yo no vi también todo eso?
CUSTODIO.—*(Inexorable.)* No sé. En realidad era otro par de pantalones y de zapatos, ajenos, cubriendo en sentido contrario los primeros pantalones y zapatos, que no se veían, pero que supongo que existían.
HOSANNA.—¿Otros?
CUSTODIO.—Quise decir otro par de piernas.
HOSANNA.—No es posible.
CUSTODIO.—No un par de piernas sueltas, así a la buena de Dios, sino otro cuerpo.
HOSANNA.—Alguien más, entonces.
CUSTODIO.—No era alguien. Estaba muerto.
HOSANNA.—Encima del otro.
CUSTODIO.—O el otro debajo de él. No sé muy bien.
HOSANNA.—¡O encima o debajo!
CUSTODIO.—No sé.

(Entra la loca llevando más chatarra. Un momento de silencio de parte de CUSTODIO *y* HOSANNA *como los silencios de los señores ante la criada. La loca sale.)*

HOSANNA.—¿Dijiste nariz o zapato?
CUSTODIO.—Dije piernas.
HOSANNA.—Y entonces sentiste el jadeo.
CUSTODIO.—Eso fue antes.
HOSANNA.—¿Y...?
CUSTODIO.—Estaba muerto también. Cubriéndolo en parte al otro. Al principio vi eso solamente.
HOSANNA.—Ah, eran dos... Y después viste alguien más, alguien que hablaba.
CUSTODIO.—Nadie hablaba. Miré de nuevo y me di cuenta.
HOSANNA.—Custodio, ¿estás seguro que haber visto esas moscas?
CUSTODIO.—Eran varios.
HOSANNA. Quieres decir varias...
CUSTODIO.—Varios. Varios cadáveres, ni juntos ni ordenados.
HOSANNA.—Separados.
CUSTODIO.—Amontonados. Yo creo que eran cientos. No uno al lado del otro, sino uno encima del otro.
HOSANNA.—¿Viste algún ojo? ¿Uno solo?
CUSTODIO.—No vi ningún ojo, Hosanna. Sólo cientos de ellos amontonados.
HOSANNA.—¿Cientos de ojos?

CUSTODIO.—No, de cuerpos.
HOSANNA.—¿Algún gesto?
CUSTODIO.—Muecas.
HOSANNA.—Entonces, ¿qué?
CUSTODIO.—Toda la tierra seca y la tierra arable está cubierta de muertos.
HOSANNA.—Sueñas con eso, como los que sueñan con el amor.
CUSTODIO.—Caminé seis kilómetros lo menos, durante tres horas. Avanzando dos kilómetros en cada hora por encima de los cadáveres, blandos, movedizos.
HOSANNA.—¿Estaban desnudos?
CUSTODIO.—Sí, pero a veces pisaba un sombrero o un hueso.
HOSANNA.—Es ridículo. Nadie usa sombreros y huesos.
CUSTODIO.—*(Reflexiona un momento.)* Una vez pisé un aparato ortopédico.
HOSANNA.—Si quieres saberlo, Custodio, eso no es cómico.
CUSTODIO.—¿Sabes una cosa, Hosanna? Después de andar kilómetros sobre ellos, me acostumbré. Sí, acomodé el paso y la respiración. Mi pie fue aprendiendo a encontrar el paso y la parte más firme de los cuerpos. Sólo una vez miré hacia abajo.
HOSANNA.—Cuando tropezaste.
CUSTODIO.—No. Cuando pisé y quebré un par de lentes sobre un rostro.
HOSANNA.—Deberíamos...
CUSTODIO.—Tuve miedo. Creí que pisaba una cucaracha —fue un ruido así—, pero me alivié cuando vi que sólo era un rostro ciego y unos lentes quebrados.
HOSANNA.—Deberíamos irnos.
CUSTODIO.—¿A dónde?
HOSANNA.—Al Paraíso, por supuesto.
CUSTODIO.—Ah, sí... *(Entra nuevamente la loca llevando más chatarra que tira sobre el alto montón del fondo.* CUSTODIO *y* HOSANNA *se quedan en silencio mirándola. La loca sale.)* Se me acaba de ocurrir una cosa, Hosanna.
HOSANNA.—¿Qué cosa, Custodio?
CUSTODIO.—Toda esa gente murió al mismo tiempo.
HOSANNA.—¿Cuándo crees que fue eso?
CUSTODIO.—No sé. Pero fue al mismo tiempo. En el mismo momento.
HOSANNA.—*(Con estupor.)* ¿Todos? Quieres decir que todos estos cuerpos...
CUSTODIO.—Todos al mismo tiempo.
HOSANNA.—Desconfío.
CUSTODIO.—Montañas de seres retorcidos que llegan hasta el mar.

HOSANNA.—¿Quieres decir que nosotros...?
CUSTODIO.—Los únicos.
HOSANNA.—Pero en alguna parte, a lo mejor...
CUSTODIO.—Quién sabe.
HOSANNA.—Alguien vive, sin embargo.
CUSTODIO.—No creo.

(Ha entrado de nuevo la loca trayendo más chatarra. CUSTODIO *y* HOSANNA *ya no se quedan en silencio ni bajan la voz.)*

HOSANNA.—*(Mostrando a la muchacha.)* Esa perra piojosa.
CUSTODIO.—La encontré cantando en la orilla .
HOSANNA.—Quiere decir que había una orilla.
CUSTODIO.—Se reía y cantaba.
HOSANNA.—Ahora tiene piojos.
CUSTODIO.—Le dije que me ayudara a buscarte y gritamos juntos toda la noche. *(La muchacha sale.)*
HOSANNA.—Ya sé que íbais juntos, tú y esa pioja, pero estoy segura que no me buscaban.
CUSTODIO.—¿Cómo se llama?
HOSANNA.—Supongo que así: Pioja.
CUSTODIO.—Ah.
HOSANNA.—Fui yo quien os llamó.
CUSTODIO.—Es lo mismo.
HOSANNA.—No es lo mismo.
CUSTODIO.—No. *(Un silencio corto.)* Tú debes saber qué sucedió.
HOSANNA.—Antes que ocurriera sentí un olor familiar, como a romero o mermelada, algo infantil. En seguida me tironeó el vientre y después, casi inmediatamente, sucedió. No hubo ni un ruido ni una luz, pero sucedió.
CUSTODIO.—Por supuesto que se sintió el ruido.
HOSANNA.—Nada.
CUSTODIO.—Mientes, Hosanna, pero sigue.
HOSANNA.—Estaba en un hoyo. Creo que era como una fosa. Acababa de terminar una galletita salada, me había vuelto hacia él para decirle algo sobre...
CUSTODIO.—*(Interrumpiendo.)* ¿Hacia quién?
HOSANNA.—Un profesor griego muy inteligente que aborrece la langosta. Estaba lleno de gente. Tú sabes, uno al lado del otro. Todos muy inteligentes. Casi todos comían langosta, menos el profesor griego. Me había vuelto hacia él para decirle algo sobre mi árbol genealógico. Inmediatamente después, sin transición alguna, me encontré en la fosa mirando fijamente aquello.
CUSTODIO.—Creí que habías dicho que no viste nada.
HOSANNA.—No exactamente. Primero estaba la reunión, las ri-

sas, los comentarios inteligentes y el sabor de la galletita salada. Pero después que pasó todo estuve mirando.

CUSTODIO.—¿Mirando qué?

HOSANNA.—Un poco de arena, menos de mil granos. Se empezó a deslizar por la grieta y tapó enteramente el bichito, una especie de caparazón. No se defendió ni se movió hasta que fue enteramente cubierto por los mil granos de arena. Mirando eso hasta me olvidé de ti. Es raro, ¿no?

CUSTODIO.—Era una caparazón vacía.

HOSANNA.—Primero fue colmado de arena y después desapareció. Sin apartar la vista me puse a esperar.

CUSTODIO.—Pudiste llamarme.

HOSANNA.—No me acuerdo. Hasta la fosa —o lo que fuera— me llegaba, como bocanadas, el olor de los cuerpos. Creí que era el olor del campo. El contacto con la naturaleza. *(Ríe brevemente.)* Podía mover sólo los ojos en las órbitas. Estaba tensa.

CUSTODIO.—¿A qué hora exactamente?

HOSANNA.—No sé, pero nunca el pedazo de cielo cambió de color.

CUSTODIO.—¿Había un color?

HOSANNA.—Sí, negro.

CUSTODIO.—¿Y la luz? ¡Hubo un resplandor!

HOSANNA.—Nada. Todo perfectamente negro. Después apareció la Pioja cantando y se asomó al hoyo.

CUSTODIO.—Vámonos de una vez.

HOSANNA.—Estoy segura de que si me duermo te irías sin mí.

CUSTODIO.—Debemos llegar al Paraíso esta noche.

HOSANNA.—Bastaría que me adormeciera para que me dejaras tirada en el cochecito y desaparecieras.

CUSTODIO.—Lo he pensado.

HOSANNA.—Hace dos años que no duermo.

CUSTODIO.—¿Dos años?

HOSANNA.—Desde que sucedió.

CUSTODIO.—O sea dos horas.

HOSANNA.—O sea dos años, veinte años...

CUSTODIO.—No recuerdo.

HOSANNA.—No puedo distraerme. Desde que me sacaste del hoyo no he dejado de mirarte. Antes no te había mirado nunca.

CUSTODIO.—*(Va a empujar el coche cuna.)* ¿Estás lista?

HOSANNA.—¡No te muevas! Es la hora de tu aseo y de mi comida. *(Grita.)* ¡Pioja!

CUSTODIO.—No voy a dejar que me toquen.

HOSANNA.—Es la hora de tu aseo, estemos donde estemos... ¡Pioja! *(Aparece la PIOJA, arrastrando todavía otro trozo in-*

descriptible de chatarra. Lo deja sobre el montón ya considerable y se queda perfectamente inmóvil. Luego, con la cara inexpresiva, realiza sumariamente lo que le han pedido.) Límpiale las uñas y los bigotes. No hay necesidad de desnudarlo. *(La* PIOJA *hace lo que le han pedido. Custodio se deja hacer.)*

CUSTODIO.—A veces pienso que no ha sucedido nada, Hosanna.

HOSANNA.—¿Talco o sólo fricciones?

CUSTODIO.—Fricciones. A veces pienso que es hermoso, incluso. Que el campo ha estado siempre así, cubierto de cuerpos descompuestos.

HOSANNA.—Naturaleza muerta, ¿verdad?

CUSTODIO.—A veces...

HOSANNA.—*(Interrumpiendo.)* ¿Ungüento?

CUSTODIO.—No.

HOSANNA.—Gárgaras. Sólo una, aunque sea para quitar el mal gusto de la boca.

CUSTODIO.—A veces pienso que dejas de mirarme, sólo por un rato.

HOSANNA.—Un poco de saliva en las cejas también.

CUSTODIO.—A veces creo que no hemos cambiado.

HOSANNA.—¡Límpiale los ojos!

CUSTODIO.—A veces pienso que me quieres.

HOSANNA.—Te vigilo solamente, querido. Nada más.

CUSTODIO.—A veces deseo...

HOSANNA.—*(Con voz sorda de resentimiento.)* Sí, deseas golpearme con la mano empuñada los domingos y fiestas de guardar.

CUSTODIO.—A veces...

HOSANNA.—Ahora rocíalo con agua bendita. *(La* PIOJA *saca una botella del cochecito y rocía a* CUSTODIO.*)* Está bien. *(La* PIOJA *sale en silencio.)* Quiero comer.

CUSTODIO.—*(Acercándose al cochecito y sacando objetos de su interior.)* ¿Quieres que te prepare la cama?

HOSANNA.—No. Quiero comer.

CUSTODIO.—¿Algún aperitivo para empezar?

HOSANNA.—No.

CUSTODIO.—El apio y las ensaladitas verdes te hacen bien, Hosanna.

HOSANNA.—Me producen flato.

CUSTODIO.—Hoy te tengo una sorpresa... *(Levantando la voz como hablando hacia afuera, a la* PIOJA.*)* ¡Pioja, sírvele la sopa!

HOSANNA.—*(Esperanzada.)* ¿Sopa?

CUSTODIO.—Bueno... casi. En realidad, puede ser cualquier cosa.

HOSANNA.—Ya la conozco. Es asquerosa.

CUSTODIO.—¿Con salsa o sin?

HOSANNA.—¿El qué?
CUSTODIO.—Lo mismo de ayer.
HOSANNA.—Sin, gracias.
CUSTODIO.—*(Gritándole a la* PIOJA *que está afuera.)* ¡Sin salsa...! Creo que quedan todavía algunas migajas de la torta de bodas.
HOSANNA.—No las quiero.
CUSTODIO.—¿Algo más o estás satisfecha?
HOSANNA.—Completamente insatisfecha.
CUSTODIO.—Pioja, retira el servicio que pasaremos al salón. *(La* PIOJA *entra con otro trozo de chatarra.* CUSTODIO *corre el cochecito al otro lado del escenario.)* Ahora alternemos. Es casi una luna de miel.
HOSANNA.—No me coloques de intento frente al sol que tengo que mirarte.
CUSTODIO.—Desde que ocurrió que no hemos visto el sol. No seas injusta, Hosanna. Sabes perfectamente que quiero matarte, pero jamás lo haría sin tu consentimiento.
HOSANNA.—Tendrás que esperar.
CUSTODIO.—¿Mucho?
HOSANNA.—No mucho.
(La PIOJA *sale. Pequeña pausa.* CUSTODIO *reinicia un relato interrumpido quizá cuando):*
CUSTODIO.—Seguiré contándote mi vida. Quedamos en los cuatro años y medio, ¿no?
HOSANNA.—*(Indiferente.)* Sí.
CUSTODIO.—Bueno, dos meses después me subí a una silla y desde allí miré por la ventana por primera vez.
HOSANNA.—¿Cómo era?
CUSTODIO.—No me interrumpas. Miré hacia afuera. Entonces me di cuenta que no era hacia afuera, sino era hacia adentro.
HOSANNA.—¿Cómo?
CUSTODIO.—Sí. Era el interior de otra habitación. La ventana daba hacia otra habitación cerrada.
HOSANNA.—Entonces no era ventana.
CUSTODIO.—Era. Sólo que ciega. Se abría hacia una especie de ropero.
HOSANNA.—No es raro.
CUSTODIO.—Tres días más tarde, es decir, a los cuatro meses y veintisiete días...
HOSANNA.—¿No puedes ir más ligero?
CUSTODIO.—No. Te tengo que contar toda mi vida, minuto a minuto. Recuerdo que dos horas después de subirme a la silla...
HOSANNA.—*(Distraída.)* ¿Falta mucho para llegar al Paraíso? Deberíamos irnos de una vez.

CUSTODIO.—Dos horas después de subirme a la silla, es decir, cuando yo tenía exactamente...
HOSANNA.—¿Está realmente lejos?
CUSTODIO.—No creo.

(La PIOJA *entra con otro pedazo de chatarra. La muchacha se queda un momento totalmente inmóvil, casi ausente, como atenta a algo que se escapa a la percepción corriente. Emite una especie de quejido suavísimo que es canto a la vez. Su cara se ilumina por una sonrisa por primera vez. Luego se dobla sobre sí misma apretándose el vientre con los brazos cruzados. Cae de rodillas emitiendo gritos guturales y casi hecha un ovillo, sale gateando como un animal.)*

HOSANNA.—¿Qué dice?
CUSTODIO.—Dice que está encinta.
HOSANNA.—¿Qué?
CUSTODIO.—Encinta.
HOSANNA.—Pero no lo está, claro.
CUSTODIO.—No lo sé.
HOSANNA.—Habla incoherencias. Es idiota.
CUSTODIO.—Se hincha.
HOSANNA.—¿Esa masa informe de harapos?
CUSTODIO.—Se hincha día a día.
HOSANNA.—¿Quieres decir que realmente está encinta?
CUSTODIO.—Lo dice, lo canta, se hincha. No sé nada más.
HOSANNA.—*(Gritando.)* ¿Quieres decir que aceptas el hecho fríamente?
CUSTODIO.—¿Qué hecho?
HOSANNA.—¿Quieres decir que te jactas de tenerla encinta?
CUSTODIO.—*(Gritando.)* ¡No quiero decir nada!
HOSANNA.—Pero lo dices claramente.
CUSTODIO.—Es posible.
HOSANNA.—*(Gritando.)* ¡Asqueroso! La violas sobre mi cuerpo cuando duermo. La embarazas bajo mi propia ropa. ¡Aquí mismo lo has hecho, en este cochecito!
CUSTODIO.—*(Gritando.)* ¡Cállate! No he sido yo...
HOSANNA.—*(Histérica.)* ¿Y quién si no...? Sabes que todos han muerto. No queda una brizna de hierba. Estamos solos.
CUSTODIO.—Desde hace dos horas.
HOSANNA.—Desde hace años... desde siempre. ¡Bestia!
CUSTODIO.—*(Gritando.)* ¡Cállate! ¡Sabes que soy impotente!
HOSANNA.—Sí, lo sé. Lo sé. Nuestra frustrada noche de bodas dura treinta años.
CUSTODIO.—No la he tocado. Me da asco. Es como un animal lleno de agua.
HOSANNA.—Te las arreglaste de alguna manera. Hace un rato pedías fricciones.

CUSTODIO.—Vamos a tener que llegar hoy al Paraíso.

HOSANNA.—¿Para qué? No quiero moverme. Estamos ya en el Paraíso y no me lo habías dicho: tú, un Adán impotente; yo, una Eva virgen y paralítica y nos empuja adelante un ángel vengador, demente y embarazado. *(Entra la* PIOJA *sin llevar chatarra.)*

CUSTODIO.—*(Mirándola.)* A lo mejor he sido yo y no me acuerdo. Sería maravilloso, Hosanna, ¿no es cierto?

(Pequeña pausa. A partir de este momento la intensidad de la luz empieza a decrecer.)

HOSANNA.—¿No te das cuenta?

CUSTODIO.—¿De qué?

HOSANNA.—Tenemos que repoblar el mundo. *(Se ríe.)*

CUSTODIO.—Podemos empezar por inventar el pecado.

HOSANNA.—¡Qué vergüenza! ¿Qué dirán de nosotros?

CUSTODIO.—¿Quiénes?

HOSANNA.—Es verdad. Estamos solos en el Paraíso. *(Pequeña pausa.)* Y, sin embargo, todo depende de nosotros.

CUSTODIO.—¿Depende qué?

HOSANNA.—Rehacerlo todo, reconstruir el mundo, inventar la vida... Fíjate, eso casi suena convincente: ¡la vida! *(A* CUSTODIO *que está como abstraído.)* ¿Me oyes? (CUSTODIO *sale rápidamente con la cara descompuesta.)*

CUSTODIO.—Algo me cayó mal. Tengo náuseas.

HOSANNA.—Siempre que hablo de la vida te pasa lo mismo. ¡No ensucies la chatarra! (CUSTODIO *desaparece. La* PIOJA *se ha sentado en el suelo apoyando la espalda contra la chatarra y con los brazos cruzados sobre el vientre. No se mueve.* HOSANNA, *desde el otro extremo del escenario e inmóvil, la mira fijamente. Se acerca lentamente a ella. Cuando está junto a ella la mira un rato. Luego con un pie trata de moverla y, finalmente, le habla. Una luz ténue ilumina a* HOSANNA. *La* PIOJA *se recorta como una silueta inmóvil. El resto es una suave penumbra.)* ¿Me oyes, Pioja? *(Silencio.)* Sé que me oyes... *(Silencio.)* Después que sucedió todo, apareciste tú. Se asomaron sobre la fosa, recortados en el pedazo de cielo negro. ¿Por qué?...? ¿Por qué...? No querías verme pero tuviste que gritar. Venías con él. Creí que habría desaparecido como una galaxia, pero no, venía contigo. *(Un silencio.)* ¿Quién eres al fin y al cabo?... Una especie de animal. Los instintos en carne viva. Una, en cambio, tiene tras de sí una vida entera, una tradición, una obligación... Sé dominarme, sé comportarme. Puedo vigilar mis pasiones... bueno, pasiones, no, pero... Tengo principios, valores, consignas. Una no ha tomado la vida a la ligera, sino al pie de la letra. *(Silencio corto.)* ¡Mendiga harapienta, embarazada en el barro, tienes tu merecido! Y te espera todavía lo peor. No es un garbanzo lo que te has tragado. Es una cosa viva que crece como un pescado ciego. *(De pronto, desmoronándose.)* Yo... yo hubiera querido tener un hijo... Hubiera querido que me mordiera a mí en el vientre ese engendro tuyo... Envidio hasta el aire que rozas. Me duele sólo que existas. Querría morirme... Soy un poco de ceniza esperando con terror el viento que la va a dispersar. *(Un silencio doloroso. Luego brusco cambio de intención.)* No eres nadie. Nada... Yo tengo un cochecito y un marido que lo empuja. Yo tengo un vestido de novia. Si Custodio y yo no cabemos en el cochecito no es cosa tuya; pero no nos acostaremos en cualquier parte: ni en el barro ni sobre todos esos cadáveres... Eres informe, fea, vegetal. *(Un silencio acongojado.)* Y, además, está Custodio... Incrustado en mi vida como un piojo debajo de la piel. Si sólo me escuchara cuando le digo algo tan tonto como «tengo miedo» o «busquemos un poco de sombra»... pero eso es pedir mucho. Si sólo pudiera ponerle la mano en la rodilla y esperar... pero eso es quizá mucho todavía. Si sólo pudiera mirarlo y que él me mirara... pero quizá todavía... si sólo... una vez... yo podría... (HOSANNA *se queda un momento sumida en un desolado silencio y, luego, bruscamente, escupe a la* PIOJA *en plena cara gritándole):* ¡Puta! (HOSANNA *se va al otro extremo cojeando con rapidez, y entrando en la penumbra. No sale. Entra* CUSTODIO *un poco vacilante y algo descompuesto. Mira a su alrededor buscando a* HOSANNA.)

CUSTODIO.—¡Hosanna! (HOSANNA, *en la penumbra, no se mueve.* CUSTODIO, *desconcertado, se queda un momento inmóvil y luego se acerca muy lentamente a la* PIOJA, *casi como hipnotizado por su quieta presencia. Cuando está muy junto a ella le habla como expresando en voz alta un monólogo interior.)* Ahora resulta que te violé... Si lo hice, no lo recuerdo. Pero sería mejor aceptarlo. Lo que siempre me estuvo vedado ahora se realizó fuera de mí, sin mí... y se realizó en tí, pobre loca sin rumbo. ¿Cuánto tiempo ha pasado desde que engendraste? ¿Cuándo sucedió todo esto? ¿Desde cuándo somos los únicos sobrevivientes? Si sólo pudiera precisar eso sabría si he sido yo quien, en un profundo sueño sin recuerdo, te violé o si todo sucedió antes, cuando los demás vivían y yo moría cada día. ¡Oh, revelación del mundo! Todo depende de tí, ramera alucinada, de tus desvergonzados recuerdos incoherentes, de tu canto, de tu incomprensible carga... Cuando te vi eras un punto negro en la orilla del desastre. Creí que eras un pájaro o un animal que hurgaba en la carroña... pero cantabas. ¿Por qué empezaste a gritar cuando encontraste a Hosanna hundida en la grieta que abría la tierra?... Se hundía, desaparecía por fin y tú la sacaste... ¿Qué querías? ¿Qué quieres?... ¿Qué te he hecho yo para que me la entregaras de nuevo? *(Un silencio acongojado.)* Ella... ella me odia. Ella no sabe todo. No sabe que puedo imaginar cosas. Puedo incluso, a veces —muy raras veces—, recordar mi vida anterior sin que ella se de cuenta. *(Pequeña pausa.)* Tuve otra mujer hace mucho tiempo. Sólo me acuerdo que tenía los pies pequeños y una vena azul en el cuello. Creo, aunque no estoy seguro, que tuvimos un hijo que nació muerto. Hosanna debe sospecharlo, porque a veces se ríe a escondidas. *(Un silencio.* CUSTODIO *ya no mira a la* PIOJA. *Le da la espalda y habla directamente hacia el público.)* ¿Qué estaba diciendo?... Algo del tiempo o del largo camino hacia el Paraíso, donde uno puede estar seguro. Dicen que allá no matan a los viejos. Yo no lo creo, pero se lo hago creer a ella para que no sufra. ¿Cómo puede haber un lugar —aun siendo el Paraíso— donde no echen a los viejos a una fosa con serrín, como hacen en todas partes; donde no los acorralen, les exijan tener hijos, los castren o los exterminen? No creo, pero es bueno imaginarlo, simular que se cree. Puede ser que... nadie sabe... a lo mejor allí... un día... *(Un silencio.)*

HOSANNA.—*(Desde la penumbra.)* ¿Y si la ahorcáramos?

CUSTODIO.—*(Sobresaltado.)* ¿Estabas ahí?

HOSANNA.—Sí.

CUSTODIO.—Espiando. *(La intensidad de la luz aumenta imperceptiblemente.)*

HOSANNA.—¿Y si la ahorcáramos?

CUSTODIO.—Se podría pensar que está amaneciendo si no supiéramos que eso es imposible, claro.

HOSANNA.—¿Y si la ahorcáramos?

CUSTODIO.—*(Abstraído.)* ¿Ah?

HOSANNA.—Ahogarla.

CUSTODIO.—¿A la Pioja?

HOSANNA.—Sí.

CUSTODIO.—¿Para qué...?

HOSANNA.—Para hacer algo. Para terminar.

CUSTODIO.—Para terminar tenemos que llegar al Paraíso.

HOSANNA.—Me meteré en el cochecito y tú me avisarás cuando lleguemos. *(Un silencio.)*

CUSTODIO.—¿Y si la abandonáramos?

HOSANNA.—¿Irnos solos?

CUSTODIO.—Sí.

HOSANNA.—Se morirá.

CUSTODIO.—No creo.

HOSANNA.—Va a parir. Sola se morirá.
CUSTODIO.—No creo que le importe.
HOSANNA.—¿Y si la matáramos nosotros primero?
CUSTODIO.—También se morirá.
HOSANNA.—Oh, no había pensado en eso. *(Silencio.)*
CUSTODIO.—¿Somos malos, Hosanna?
HOSANNA.—No, Custodio. Somos puros.
CUSTODIO.—Ya no quedan puros.
HOSANNA.—Ni uno solo.
CUSTODIO.—Sólo queda la Pioja preñada. *(Un silencio corto.)*
HOSANNA.—Tengo una idea.
CUSTODIO.—Guárdatela.
HOSANNA.—Crucifiquémosla.
CUSTODIO.—Eso está muy visto. Y todo el mundo lo hace.
HOSANNA.—Enterrémosla.
CUSTODIO.—Es difícil.
HOSANNA.—Golpeémosla.
CUSTODIO.—No tengo fuerzas. Moriría yo.
HOSANNA.—Cubrámosla con la chatarra hasta que desaparezca.
CUSTODIO.—Eso jamás.
HOSANNA.—¿Por qué?
CUSTODIO.—Perderemos la chatarra. Es lo único que nos queda.
HOSANNA.—Vale la pena.
CUSTODIO.—No sé.
HOSANNA.—Sé generoso.
CUSTODIO.—Es *mi* chatarra.
HOSANNA.—Hazlo por ella.
CUSTODIO.—Siempre tengo que salir perdiendo algo.
HOSANNA.—Es un pequeño sacrificio. Así nadie podrá reprocharnos nada.
CUSTODIO.—Tal vez tengas razón. Será la única forma de no tener remordimientos. (CUSTODIO *va hacia el fondo y mira un momento a la* PIOJA *que no se ha movido ni parece verlo. La* PIOJA *está encogida, recogida sobre sí misma.* CUSTODIO *arrastra a la* PIOJA *detrás del montón de chatarra. La arroja al suelo de un golpe. La* PIOJA *deja de verse. Emerge* CUSTODIO, *de pie.* CUSTODIO *toma el primer gran trozo de chatarra, lo sostiene un momento en el aire y luego lo deja caer sobre la* PIOJA. *Cada trozo que deja caer sobre su cuerpo, es acompañado de una especie de letanía que recita* HOSANNA *con una voz monótona y rutinaria.)* «Guía sus pasos para que no tropiece...»
HOSANNA.—Guárdala del mal, Señor. *(Nuevo trozo de chatarra sobre la* PIOJA.*)*

CUSTODIO.—«Dale fuerzas a la hora de la prueba...»
HOSANNA.—Guárdala del mal, Señor. *(Más chatarra sobre su cuerpo.)*
CUSTODIO.—«Que no le sorprenda desprevenida las trompetas del Juicio...»
HOSANNA.—Guárdala del mal, Señor. *(Más chatarra sobre su cuerpo.)*
CUSTODIO.—«A la santa hora del Martirio...»
HOSANNA.—Guárdala del mal, Señor. *(Más chatarra sobre su cuerpo.)*
CUSTODIO.—«Que el peso de la vida le sea leve...»
HOSANNA.—Guárdala del mal, Señor. *(Más chatarra sobre su cuerpo.)*
CUSTODIO.—«Que el amor inspire nuestros actos...»
HOSANNA.—Guárdala del mal, Señor. *(Más chatarra sobre su cuerpo.)*
CUSTODIO.—Perdónale, Señor, sus debilidades y reconfórtala en la hora de la muerte.
HOSANNA.—El agua bendita. (HOSANNA *rocía la chatarra con el agua bendita de la botella. La* PIOJA *no ha emitido ni un solo quejido. Ha desaparecido aplastada. Un momento* HOSANNA *y* CUSTODIO *juntos e inmóviles. De pronto, de debajo del montón de chatarra, surge un grito escalofriante seguido de otros gritos menores.)* Le empiezan los dolores.
CUSTODIO.—¿Ya?
HOSANNA.—Sí, el parto.
CUSTODIO.—¿Es malo eso?
HOSANNA.—Es natural.
CUSTODIO.—¿Como la muerte?
HOSANNA.—Sí, tan natural como la muerte.
CUSTODIO.—¿Como nosotros?
HOSANNA.—Sí, tan natural como nosotros.
CUSTODIO.—Entonces, está bien. *(Nuevos gemidos más sordos pero más urgentes.)*
HOSANNA.—Ahora son más seguidos.
CUSTODIO.—¿Tú crees que nacerá eso...?
HOSANNA.—¿Qué?
CUSTODIO.—Lo que tiene que nacer.
HOSANNA.—No sé.
CUSTODIO.—Sería terrible, como un castigo.
HOSANNA.—Cree que le vamos a ayudar.
CUSTODIO.—Sí, lo cree.
HOSANNA.—Y no habrá nadie.
CUSTODIO.—Vámonos.
HOSANNA.—Estará completamente sola.

CUSTODIO.—Sola.
HOSANNA.—Nosotros sólo somos testigos.
CUSTODIO.—Hemos perdido lo único que teníamos: la chatarra. *(Gemidos largos y sofocados.)*
HOSANNA.—Empieza a parir. Nos llama.
CUSTODIO.—No oigo nada. Estoy muy excitado.
HOSANNA.—Deberías haberme aplastado a mí.
CUSTODIO.—Es demasiado tarde. *(Escuchan un momento.)*
HOSANNA.—Ya no nos llama.
CUSTODIO.—¿Qué hace?
HOSANNA.—Trata de respirar. *(Escuchan de nuevo.)*
CUSTODIO.—¿Habrá nacido algo?
HOSANNA.—¿Qué puede importar eso? Si algo nació, será chatarra.

(Un gran silencio. En ese momento se escucha un grito sordo de parturienta. El grito sordo y los jadeos persisten y terminan en un alarido final penetrante. CUSTODIO *y* HOSANNA *no se han movido. Un silencio.)*

CUSTODIO.—¿Y ahora?
HOSANNA.—Ahora, nada.
CUSTODIO.—Entonces...
HOSANNA.—Terminó.
CUSTODIO.—Pero, quizá...
HOSANNA.—Terminó.
CUSTODIO.—¿Todo?
HOSANNA.—Todo. (HOSANNA *se mueve hacia uno de los costados del escenario.)* Vamos, nos espera el Paraíso. (CUSTODIO *se mueve hacia el cochecito y empieza a empujarlo.)*
CUSTODIO.—Vamos.

(HOSANNA *sale cojeando.* CUSTODIO *va a seguirla empujando el cochecito cuando se da cuenta que ha dejado la botella con el agua bendita en el suelo junto a la chatarra. Se vuelve, la toma y la mira un momento. Luego bruscamente la rompe contra la chatarra, sin soltar el cuello de la botella.)*

VOZ DE HOSANNA.—*(Desde fuera del escenario.)* ¿Qué pasa, Custodio?
CUSTODIO.—Nada. Olvidamos el agua bendita. *(Con la botella rota en una mano y empujando el cochecito con la otra, sale. La intensidad de la luz va decreciendo. Un extraño resplandor brilla desde atrás de la chatarra. Desde afuera del escenario se escucha un golpe y una exclamación ahogada. Entra inmediatamente* CUSTODIO. *Empuja el cochecito sobre el que se ve la corona de novia y el velo desgarrado manchado de sangre. Todavía empuña la botella rota. Mira una vez más hacia atrás. Luego se estremece y dice:)* Anocheció y luego amane-

ció: primer día del mundo. *(Hablando hacia el intelior del cochecito vacío.)* Vamos a repoblar la tierra, corazón... *(Alargándole la botella rota ensangrentada.)* Tienes hambre pero no grites que tenemos que escondernos del ángel vengador... ¡Señor, hemos matado en tu nombre, según tu voluntad! Amén.

(CUSTODIO *sale lentamente empujando el cochecito. La luz se extingue suavemente.)*

EL CEPILLO DE DIENTES

O

NÁUFRAGOS EN EL PARQUE DE ATRACCIONES

OBRA EN DOS ACTOS

«*¡Quítese esa máscara y* SONRIA *con el nuevo dentífrico...*»

(Anuncio de un periódico)

PRIMER ACTO

Cuando se han apagado las luces de la sala, pero antes de abrirse las cortinas, se escuchará una música melancólica interpretada en *arpa* y que debe recordar vagamente la música de un tiovivo. Esta música se escuchará en varios momentos de la obra. Debe ser un fragmento tierno, simple, sugerente.

Las cortinas se abren. Sala-comedor de un pequeño departamento moderno.

La mitad izquierda tiene muebles antiguos, estilo español; y la mitad derecha tiene muebles de estilo danés, de diseño ultramoderno.

Entre los muebles del lado izquierdo hay una mecedora y un gramófono antiguo de inmensa bocina. Sobre los muebles álbums de discos viejos de 78 r/m.

Entre los muebles del lado derecho hay una butaca de piel de cabra y una lámpara de pantalla aerodinámica.

Actuando de bisagra entre ambos ambientes hay una mesa redonda cubierta con un mantel de felpa que llega hasta el suelo y oculta completamente sus patas. Dos sillas. Este es el campo neutral donde se desarrolla todos los días la batalla del desayuno matrimonial.

Sobre la mesa se destaca una radio de transistores con una antena. Un momento la escena vacía. Se escucha un fragmento de radioteatro proveniente del transistor.

VOZ DE ELLA.—¡Mi amor, despierta!... Mira que bonito se ve el Parque de Atracciones! ¡El día está maravilloso!
VOZ DE EL.—¡Tú también estás maravillosa! *(Besos apasionados.)*
VOZ DE ELLA.—¿Cómo podemos sobrevivir?
VOZ DE EL.—¿A qué?
VOZ DE ELLA.—A este cariño tremendo.
VOZ DE EL.—¡Somos fuertes!
VOZ DE ELLA.—¡Invulnerables!
VOZ DE EL.—¡Inseparables! *(Nuevos besos apasionados.)*

Entra ELLA. *Joven y bonita. Viste un pijama de seda sobre el cual lleva una bata. Zapatillas de levantarse. Trae una bandeja. Debajo del brazo un periódico y una revista. Deja todo sobre la mesa. Al hacerlo se le cae descuidadamente un tenedor. Busca otra emisora en el transistor. Deja de escucharse en ese momento la música de arpa. Consigue por fin dar con una música de «Jazz». Satisfecha, sigue el compás con el cuerpo y sale nuevamente hacia la cocina.*

Un momento la escena vacía. El «Jazz» se escucha muy fuerte.

ELLA *vuelve a entrar. Esta vez con la cafetera y la leche. Las deja sobre la mesa. Da los últimos toques a la mesa del desayuno. Sólo ahora observa que uno de los dos tenedores está en el suelo. Lo recoge y se lo queda mirando fijamente.)*

ELLA.—Anoche soñé con un tenedor. Bueno, eso no tiene nada de misterioso. Debe ser un símbolo sexual inconsciente... *(Arrugando el ceño.)* Pero lo raro era que el tenedor decía que quería ser cuchara. El pobre tenía complejo de cuchara... de cuchara de postre.

Yo no sé por qué soy tan complicada. El psiquiatra tampoco. Me dijo que hablara en voz alta por las mañanas, que eso era bueno para la salud mental. Sirve para desintoxicarse después de la noche. «Imagínese —me dijo— que está sola en un escenario iluminado delante de grandes personalidades que la escuchan y a usted no le importa nada, nada...» *(Se dirige con soltura y desinhibición al público desde la embocadura del escenario.)* «¡Excelentísimo señor presidente, excelentísimo señor ministro consuetudinario, miembros del Cuerpo Diplomático y de otros cuerpos, señora Agregada Escultural... ¡Oh, monseñor!... *(Hace una genuflexión. Repentinamente se pone a cantar con energía y sin la menor inhibición un fragmento de «Madame Butterfly». Desde el baño llega el inconfundible ruido de una persona haciendo gárgaras.* ELLA *trata de acallar el ruido cantando más fuerte y echando mi-*

radas furiosas hacia el baño, pero, finalmente, se interrumpe y en forma rencorosa señala hacia el dormitorio.) Vivo con un hombre. Por lo menos todos llaman así a ese ser de pies grandes que hace gárgaras en los momentos más inesperados, la noche de bodas, por ejemplo.

Yo soy su mujer. Eso quiere decir que debo ser femenina. Lo que no es fácil. Hay que sentirse débil y poner brillantes los ojos para que el ser de los pies grandes la proteja a una. También debo ser atractiva. No debo permitir que me crezca bigote ni se me caigan los dientes. Tengo que recordar que los ravioles ensanchan las caderas y los espárragos achican el busto. *(Dando un gran suspiro.)* ¡Pero la verdad es que estoy cansada, horriblemente cansada de ser la esposa femenina de ese animal masculino que se rasca, pierde el pelo sistemáticamente y canta tangos pasados de moda!... *(Soñadora.)* Quisiera... quisiera engordar, fumar un puro y enviudar de una manera indolora y elegante.

Estos monólogos, como psicoterapia, también sirven para que a uno se le ocurran ideas, ideas inocentes para enviudar sin anestesia. Hoy, como todos los días, tengo algunos planes. Para empezar, el café no es café. No. Tampoco es nescafé. Es veneno. Veneno con gusto a café descafeinado.

Las tostadas parecen tostadas, nadie diría que no son tostadas. Bueno, en cierto modo lo son, pero las tosté con gas de hidrógeno que produce efectos fatales al ser digeridas. *(Encantanda.)* ¡Oh... y el azúcar! El azúcar tiene un poco de raticida granulado. Esto último fue un virtuosismo de especialista que muchos considerarán exagerado pero que es propio de mi sentido de la responsabilidad. *(Se oye un canturreo que proviene del dormitorio. Con una risita siniestra.)* ¡Es hora de actuar! *(Gritando hacia el dormitorio.)* ¡Hijito, está servido!... *(*ELLA *se sienta y empieza a poner mantequilla a una tostada. Pausa. Más fuerte.)* ¡Está servidoooo!...

(Entra EL *terminando de arreglarse la corbata. Lleva la chaqueta en la mano. Parece tener prisa.* ELLA *aumenta el volumen en el transistor, que sigue transmitiendo «Jazz».*

EL *se sienta y abre el periódico.*

El «Jazz» se escucha muy fuerte. EL *deja el periódico y le habla a* ELLA, *pero sólo se ve el movimiento de sus labios porque la música impide oír lo que dice. Este juego monologal del que no se escucha una palabra dura un rato.)*

ELLA.—*(Gritando.)* ¡No te oigo nada! ¿Qué dices?
EL.—*(Gritando.)* ¡Qué cortes esa radio!
ELLA.—*(Gritando.)* ¡Egoísta!

(ELLA *se pone un audífono en un oído y lo conecta al transistor. La música deja de oírse. Ahora las voces son normales.)*

EL.—El veneno, por favor. (ELLA *no lo oye.)* Un poco de café, querida. (ELLA *lo hace callar con un gesto. Evidentemente está concentrada en lo que escucha a través del audífono. Intrigado.)* ¿Qué dice?...

ELLA.—*(Con tono misterioso.)* Es el pronóstico.

EL.—¿De qué?

ELLA.—*(Casi confidencial.)* Del tiempo.

EL.—*(Un poco irritado.)* ¿Y qué dice?

ELLA.—*(Escuchando primero.)* «... nubosidad parcial en el resto del territorio...»

EL.—*(Asombrado.)* ¿Es posible?

ELLA.—Parece increíble, pero es así.

EL.—¿Me das café, querida? (ELLA *toma la cafetera, pero en vez de servirle café empieza a seguir con ella el compás de una música que se adivina por la cara absorta y los ojos en blanco.* EL, *distraído con el periódico, no se ha dado cuenta de que no le ha servido café. Revuelve tranquilamente en su taza vacía.)* ¿Qué estas escuchando?

ELLA.—«Desayuno en su hogar». Consejos para comenzar la jornada. *(Escucha primero y luego habla.)* Hoy es el feliz aniversario de la revolución sangrienta de octubre... Iniciemos, pues, la jornada con optimismo y energía... Respiremos hondo... (ELLA *respira hondo.)*... y digamos: «Hoy puedo hacer el bien a mis semejantes...»

EL.—*(Que no la ha escuchado.)* Sírveme el desayuno.

ELLA.—«Pensando en los demás nos libraremos de nuestras propias preocupaciones...»

(ELLA *se pone de pie y empieza a mover la cabeza en forma rotatoria y luego echa los hombros hacia adelante y hacia atrás y mueve las manos como epiléptica.)*

EL.—*(Alarmado.)* ¿Estás bien?

ELLA.—Uno..., dos..., uno..., dos...

EL.—*(Golpeando la mesa y lanzando un grito.)* ¡El café!

ELLA.—*(Sobresaltada.)* ¡Ay!... Es a ti al que te hace falta la gimnasia de relajación. La mejor relajación es el revolcarse lentamente por el suelo, primero sobre la nalga izquierda y luego sobre la nalga derecha. Debe ser delicioso... ¿Quieres probar?

EL.—Quiero probar el café. ¡Sírveme inmediatamente! Estoy retrasado. (ELLA *da un suspiro y se saca los audífonos.)*

ELLA.—Hoy debo hacer el bien a mis semejantes... ¿Quieres leche, hijito?...
EL.—¡No me llames hijito!... Y menos mientras me ofreces leche. Es repugnante.
ELLA.—Te gustaba hace muy poco tiempo.
EL.—¿La leche?... Por supuesto.
ELLA.—*(Mohína.)* Te gustaba que te llamara así.
EL.—Hace años cuando nos casamos. Ahora he crecido... y envejecido.
ELLA.—¿Cómo quieres que te llame entonces?
EL.—Por mi nombre.
ELLA.—Es raro pero lo olvidé. Juraría que terminaba en o... Te he dicho que me lo apuntes en la libreta de los teléfonos. (ELLA *de pronto levanta la vista y mira hacia el público. Se sobresalta.)* ¡Cierra las cortinas que nos están mirando!
EL.—Nos gusta. Somos exhibicionistas... Y aprovechando la oportunidad voy a decir algunas palabras... *(Directamente al público.)* Como presidente del Partido Familiar Cristiano Unido, he reiterado en muchas ocasiones que la madurez cívica se expresará repudiando a los demagogos profesionales. Así se robustecerá aún más nuestro sistema de convivencia que es el reflejo del pacífico equilibrio individual y familiar...
ELLA.—*(Interrumpiéndolo y leyendo en la revista femenina.)* «Aplique al matrimonio técnicas nuevas...»
EL.—*(Indiferente.)* ¿Divulgación erótico-científica?
ELLA.—Capricornio.
EL.—¿Qué?
ELLA.—Capricornio. Es el horóscopo. Mi signo es Capricornio: «Aplique al matrimonio técnicas nuevas. El amor conyugal no debe ser ciego. La lucidez no le hace mal a ninguna esposa razonable. Saturno, el director de su vida, estará sirviendo de apoyo a Júpiter. Usted está capacitada para desarrollar un activo intercambio social. El primer día de la semana estará brillante e imaginativa...» *(Encantada con el descubrimiento.)* ¡Hoy estoy brillante e imaginativa!
EL.—*(Leyendo.)* «Por viajar al extranjero, vendo muebles de comedor fino, casi nuevos, camas y colchones.»
ELLA.—*(Que no ha levantado la vista de la revista.)* No sabía que te ibas al extranjero, pero no permitiré que vendas los colchones por ningún motivo. El comedor me da lo mismo.
EL.—*(Distraído.)* A mí también. Dejaremos los colchones... *(Reaccionando.)* ¡Pero si yo *no* voy a viajar!
ELLA.—Pensé que te ibas de casa.
EL.—¿Por qué lo dices?
ELLA.—Ultimamente estás haciendo cosas muy sospechosas... Por ejemplo, ayer te cortaste el pelo.

EL.—Fue un error. Entré creyendo que era una farmacia. Lo peor de todo es que me lo dejaron demasiado corto.
ELLA.—*(Sin levantar la vista de la revista.)* Déjame ver... No, me parece que está bastante bien.
EL.—*(Aliviado.)* Me quitas un gran peso de encima. (EL *vuelve a enfrascarse en su diario.)*
ELLA.—¿Cuál es tu signo?
EL.—Una maquinita... ¡Qué ingenioso!: «Una maquinita, apenas del tamaño de una caja de zapatos para cortarse las uñas sin tijeras...»
ELLA.—¡Tu signo astral!... Ah, ya sé: Sagitario, los nacidos entre el 1 de enero y el 31 de diciembre... «Se le reprochará estar distante. Es verdad que el cielo no favorecerá sus sentimientos, pero usted puede aportar mayor pesimismo. Semana beneficiosa para arreglar litigios en suspenso. Estará obligado a aceptar una asociación con personas que le aburren y no lo satisfacen. Existe el peligro de superficialidad espiritual, frivolidad y engreimiento. Pensamientos depresivos oscurecerán su rostro...» *(Dejando de leer)* ¡Déjame ver!...

(EL *tiene su rostro enteramente cubierto con el periódico.* ELLA *hace esfuerzos por verle la cara.)*

ELLA.—No te veo... ¿Dónde estás?
EL *(Leyendo en el periódico y sin mostrar la cara.)* «Masacre en el Vietnam.»
ELLA.—¿Qué?
EL.—«Masacre en el Vietnam.»
ELLA.—Esa película es de reestreno y está pésimamente doblada. ¡Me encantan las películas de guerra! Son tan instructivas.
EL.—*(Bajando el periódico y mostrando la cara.)* ¡Le dan demasiada publicidad a estas películas! Y uno ni se entera de lo que pasa en el mundo. *(Tomando la mantequillera.)* ¿Quieres mantequilla?
ELLA.—*(Con rencor.)* Lo dices a propósito para martirizarme. Sabes que eso me engorda.
EL.—No comes científicamente. Eso es todo.
ELLA.—Tú siempre lo sabes todo. Comes científicamente, pero se te saltan los botones en la barriga.
EL.—¿Sabes cuál es el animal más fuerte y mejor alimentado?... La hiena. Supongo que no tendré necesidad de explicarte lo que come: come carne podrida al igual que las demás fieras porque así ya está medio digerida. Es un hecho comprobado. Así se han podido conservar vivas y sonrientes a las hienas.
ELLA.—¿Te parece que todo esto tiene algo que ver conmigo?

EL.—Todo depende del punto de vista.
ELLA.—*(Leyendo en la revista femenina.)* «Los huevos y vuestro hígado» o «La importancia de los huevos en la vida de la mujer».

(De pronto EL, *que también se ha enfrascado en el periódico, lanza una exclamación.)*

EL.—¡Por fin!
ELLA.—¿Qué pasa?
EL.—*(Leyendo.)* «Señorita extranjera, francesa, busca habitación amueblada con desayuno.»

(Se levanta con rapidez y va hacia el telófono.)

ELLA.—¿La conoces?
EL.—*(Con el teléfono en la mano y disponiéndose a marcar.)* No, pero pensé que podíamos arrendarle el cuarto de invitados.
ELLA.—Sabes perfectamente que no tenemos cuarto de invitados.
EL.—En mi despacho se podría poner una cama.
ELLA.—Sabes perfectamente que no tienes despacho.
EL.—¿Y en nuestro dormitorio, con un biombo?
ELLA.—Es demasiado pequeño.
EL.—¿Y en nuestra cama?
ELLA.—Apenas cabemos nosotros.

(EL *cuelga el teléfono y se sienta nuevamente a la mesa.)*

EL.—Es verdad. Aunque no puedes negar que habría sido un ingreso extra. ¡Claro que tú siempre te opones a disminuir los gastos! *(Soñador.)* Además..., ¡era francesa!
ELLA.—¿Y qué tiene que ver que sea francesa?
EL.—*(Confuso.)* Bueno..., tú sabes... Francia es... lo desconocido. Lo que uno ha soñado siempre. El país de los tams-tams, las criadillas al jerez y las flores de loto.
ELLA.—*(Seca.)* No armonizaría con nosotros. Nuestros muebles están en la nueva línea danesa.
EL.—Esos serán *tus* muebles. Los míos son de estilo español.
ELLA.—¡Arcaico!
EL.—¡Antiséptica!
ELLA.—¡Morboso!
EL.—¡Escandinava!

(Silencio corto. EL *bebe su café.)*

ELLA.—*(Siniestra.)* El café no está como todos los días, ¿verdad?
EL.—*(Abatido.)* Teresa, cuando acabas de levantarte das miedo. ¿Es que no alcanzas siquiera a lavarte la cara?
ELLA.—Por favor, no nos pongamos románticos, cariñito. Acuérdate que hoy es mi día de lucidez mental, según mi horóscopo.
EL.—Entonces es quizás el momento de hablar con franqueza y sin hipocresías.
ELLA.—¡Oh!...
EL.—*(Decidiéndose.)* Voy a decirte algo que me tortura.
ELLA. *(Comiendo con la boca llena y leyendo su revista.)* Estoy pendiente de tus palabras.
EL.—Hace algunos días que piensa en eso sin parar. Tal vez sea chocante confesarlo así, pero estoy decidido.
ELLA.—Sea lo que sea seré indulgente.
EL. *(Buscando las palabras.)* Es verdad que somos marido y mujer y que me he acostumbrado a vivir contigo. Todo parecía estar bien, pero de pronto, un día cualquiera, algo surge en tu camino que lo trastorna todo. Entonces se te entibia el corazón y empiezas a mirar todo de otra manera. Uno, claro, lucha y se resiste. Nada debe turbar la paz que se ha conseguido, pero no, ¡al fin el sentimiento triunfa y te encuentras atrapado! (EL *se ha sentado en la mecedora.)*
ELLA.—Dilo de una vez.
EL.—Creo...
ELLA.—¿Sí?...
EL.—Creo que estoy empezando a enamorarme.
ELLA.—*(Conmiseración.)* Pobre.
EL.—Créeme que me he resistido hasta lo último.
ELLA.—¿Y de qué mujerzuela, si se puede saber?
EL.—¡No la llames así!
ELLA.—¿Por qué? ¿De quién te has enamorado?
EL.—*(Vacilante y tímido.)* De... ti.
ELLA.—¡Qué tontería!
EL.—No es una tontería. Todos los días mientras leo el periódico durante el desayuno pienso en ti. Cuando vamos por la calle te miro por el rabillo del ojo. Es enteramente absurdo, pero me gustas mucho.
ELLA.—¡Vicioso! ¿No te da vergüenza enamorarte de tu mujer? ¡Rebajarse hasta ese punto! Olvídalo que yo también lo olvidaré. (ELLA *empieza a acunarlo moviendo la mecedora.)*

(ELLA *canta una canción de cuna.* EL *parece un inválido o un niño pequeño.)*

EL.—*(Sincero.)* Me costará olvidarte.

ELLA.—Piensa en otra cosa, hijito, piensa en otra cosa.
EL.—*(Con cara estúpida.)* ¿En qué?
ELLA.—En cualquier cosa..., en la vecina gorda.
EL.—Ya pensé en ella anoche mientras me desnudaba. Ya pensé en todos los temas que hemos elegido para hoy.
ELLA.—Piensa en el colesterol.
EL.—¿Qué es el colesterol?
ELLA.—Un insecticida.
EL.—¿Un insecticida?... Pero si viene en «shampoo».
ELLA.—Si viene en «shampoo» es para el dolor de cabeza.
EL.—*(Pensando en forma concentrada.)* ¡Colesterol! ¡Colesterol! ¡Colesterol! ¡Co-les-te-rol!... *(Levantándose de la mecedora desanimado.)* Es inútil. Tú eres la única persona. Lo sé. Significas mucho más para mí que el colesterol. Eres diferente. ¡No eres como todas!
ELLA.—*(Leyendo en la revista femenina.)* «¿Es usted como todas..., sin iniciativa? Siga el ejemplo de Dora Zamudio, hasta hace poco modesta empleada en una corsetería, gana hoy veinte mil pesetas mensuales como laboratorista de cálculos biliares. Nuestro sistema la capacita para progresar y ser alguien. He aquí la lista de nuestros cursos: Control mental, Respiración vibratoria, Elocuencia sagrada, Inseminación artificial, Personalidad radical, Taquigrafía elástica, Inglés al tacto, Recuento hormonal. ¡Y 35 especialidades femeninas! ¡El destino es para la mujer independiente! ¡Inscríbase hoy mismo!» *(Reflexiona.)* Me gusta el curso de Control mental. Yo puedo concentrarme extraordinariamente. Ayer terminé tres crucigramas en la misa de doce... Concéntrate tú también para que me trasmitas tus pensamientos...

(ELLA *cierra los ojos en forma patética, como una médium.* EL, *sin advertirlo, mira fijamente al público y habla en forma desolada.)*

EL.—Señor director, hace mucho tiempo que deseaba dirigirme a usted para manifestarle el estado de desconcierto e inquietud que me produce el pasar frente al parque, el sector comprendido entre la plaza y la estación. He observado con creciente temor que cada día desaparece algo. Hoy es el buzón, mañana las rejillas del alcantarillado o un árbol, pero sobre todo, señor director, están desapareciendo las parejas de enamorados que daban esos inmorales ejemplos. ¡Es una lástima! Me dirijo a usted para solicitarle haga llegar mi voz a las autoridades.
ELLA.—*(Aún con los ojos cerrados y haciéndole callar con una*

voz de médium.) ¡Schtt...! Haré lo que pueda, haré lo que pueda. Aunque me es imposible asegurarle nada.

EL.—*(Volviendo a la realidad.)* Dame más café.

(ELLA, *al moverse de sitio, ha conseguido ponerse detrás de él y coloca sus manos extendidas sobre la cabeza de* EL, *como si fuera una bola de adivina.)*

ELLA.—*(Aún con los ojos cerrados.)* ¡Qué asco!... Ahora veo todo claro. ¡Sí, ahora veo por qué querías alojar aquí a la francesa!

EL.—*(Leyendo.)* «Monito tití, muy habilidoso, especial para donde hay niños, vendo...» Podríamos tener niños, Consuelo. Se podrían comprar cosas tan divertidas. Figúrate, tener un monito tití. Tendremos que pensar en eso cuando decidamos no tener niños.

ELLA.—*(Indiferente.)* Sabes perfectamente que no me llamo Consuelo. *(Abriendo los ojos.)* Creo que el Control mental no es mi fuerte. Me cansa. Buscaré otro curso por correspondencia. *(Hojea la revista buscando otro curso.)*

EL.—*(Ofreciendo.)* ¿Más café, querida?

ELLA.—Con dos terrones, por favor.

EL.—¿Con crema o sin?

ELLA.—Eso es en las películas, mi amor.

EL.—¿Qué cosa?

ELLA.—La crema.

EL.—¿Qué crema?

ELLA.—La que me acabas de ofrecer.

EL.—¿Yo? ¿De qué estás hablando?

ELLA.—De la crema.

EL.—¿La crema para la cara?

ELLA.—¿De qué cara? Yo no uso crema.

EL.—Yo tampoco.

ELLA.—¿Y la de afeitar?

EL.—Eso es jabón.

ELLA.—Pero muy bien que te sirve.

EL.—Bueno, de servir sirve..., como las arañitas en el jardín.

ELLA.—¿Para qué?

EL.—Se comen los insectos dañinos.

ELLA.—Ya nadie cree en eso..., es como las ventosas.

EL.—¿Qué tiene que ver las ventosas con el jardín?

ELLA.—Espérate un poco... ¿De qué estábamos hablando?

EL.—No sé.

(Los dos comen un momento silenciosamente. ELLA, *de pronto, da un grito.)*

ELLA.—¡Era acerca del jabón de afeitar!
EL.—¿El qué?
ELLA.—De lo que hablábamos.
EL.—No creo. Es un tema idiota. *(Un silencio tenso.)*

(ELLA *en su revista.* EL *en su periódico.)*

ELLA.—*(Leyendo.)* «Nuevas ideas para esta semana: ¿qué hacer con esta incómoda buhardilla que nadie ocupa?»

(ELLA *se pone de pie y mira despectivamente el rincón de* EL *con los muebles estilo español.)*

EL.—*(Leyendo.)* «Ocasión única. Vendo por viaje...»
ELLA.—*(Continuando con lo anterior.)* «... basta ingenio, tres rollos de papel y un tarrito de esmalte...»
EL.—*(Mirando los muebles de* ELLA.) «... muebles funcionales nórdicos casi nuevos...»
ELLA.—«Empezaremos por quitarle las telarañas...»
EL.—«... un transistor de frecuencia inmoderada y un cajón de sopa en polvo.»
ELLA.—*(Repentinamente lúgubre.)* ¡Polvo somos y en sopa en polvo nos convertiremos!... ¿Tienes algo grave sobre tu conciencia?
EL.—*(Sin levantar la vista del periódico.)* No, pero tengo en el Consultorio sentimental cartas para Madre afligida y Flor Silvestre... «¿Quieres vivir intensamente junto a un alma tierna? Escríbeme a Lista de Correos. Ojalá seas independiente, apasionada, sin prejuicios, con buena posición económica y buen físico. Fines absolutamente serios y apostólicos.
Firmado, *Pepe.*»
ELLA.—*(Con sencillez.)* Yo firmo siempre: *Esperanzada.*
EL.—Usted no tiene prejuicios, ¿verdad?
ELLA.—¿Me hace esa pregunta con fines serios?
EL.—*(Triste.)* Soy un Pepe solitario.
ELLA.—Por ahora no puedo contestarle nada. Escríbame a Lista de Correos.
EL.—Es una buena idea. Me gustaría conocerla.
ELLA.—Diríjala simplemente a «Esperanzada».
EL.—*(Escribiendo en un papel.)* «Esperanzada: Desconociendo su nombre me veo en la necesidad de imaginármelos todos. Su aviso ha sido un grito en medio de mi rutina gris. Tengo la impresión de que nos complementaremos para siempre. Si tiene algún defecto visible o una enfermedad invisible, le ruego me lo advierta. Es indispensable enviar foto. Yo, feúcho,

pero dicen que simpático y sin compromisos. La saluda respetuosamente y lleno de ansiedad,

Pepe solo.»

(Ambos están de cara al público. EL *dobla la carta y se la desliza a* ELLA *subrepticiamente, como haciendo un acto inmoral.* ELLA *la toma de la misma forma. La lee ansiosamente y luego ambos dialogan sin mirarse, como separados por una gran distancia.*

ELLA.—No quiero aventuras. Busco un alma gemela.
EL.—Soy un industrial extranjero que quiere echar raíces.
ELLA.—Prometo comprensión.
EL.—Reunámonos pronto.
ELLA.—No soy una mujer de un día.
EL.—Tengo cultura casi universitaria.
ELLA.—Hay tanto melón podrido en el mundo.
EL.—Sobre eso le prometo absoluta reserva.
ELLA.—¿Y cómo nos encontraremos?
EL.—Estaré con la cabeza inclinada frente a la tumba del soldado desconocido.
ELLA.—*(Con angustia.)* ¿Y si no nos reconocemos jamás? ¡Llevemos una señal inconfundible!
ELLA.—Yo llevaré una orquídea que masticaré disimuladamente.
EL.—*(Con entusiasmo.)* ¡Yo lo dejaré estacionado en dirección prohibida!
ELLA.—¿El qué?
EL.—Mi abuelo paralítico.
ELLA.—*(Intensa.)* ¡Escríbeme a Lista de Correos!
EL.—*(Intenso.)* ¡Escríbeme a Lista de Correos! *(Después de una pausa y rompiendo el clima de intensidad romántica,* EL *arruga la hoja del periódico y la tira al suelo con desesperación.)* Todo es inútil. El periódico no es de hoy. Es de pasado mañana...
ELLA.—*(Arrugando la carta y tirándola al suelo.)* ¡Ah, si la hubiera contestado ayer!...
EL.—¡Ah, si pudiéramos alquilarle a alguien el cuarto de invitados! (EL *se desplaza distraidamente por el escenario. Se encuentra con el gramófono y acaricia suave y largamente la enorme bocina. Tararea casi para sí el inicio del tango «Yira-yira», y luego canta suavemente los dos versos:)*

«Buscando un pecho fraterno
para morir abrazao...»

(Con un disco viejo en la mano EL *le habla a* ELLA.*)* ¿Bailamos este tango, cariño?... Para nosotros dos nada más.

ELLA.—Obsceno.
EL.—¿Por qué?
ELLA.—El tango no es un baile. Es casi una cosa fisiológica.
EL.—Gardel ha muerto. No nos verá nadie.
ELLA.—No eches tierra sobre tu conciencia. Hay un gran ojo que nos mira.
EL.—*(Suplicando.)* ¡Hazlo por mí!
ELLA.—Lo único que puedo hacer por ti es guardar un minuto de silencio.
EL.—*(Cantando suavemente y desilusionado.)*

«No esperes nunca una mano,
ni una ayuda,
ni un favor...»

(EL *se sienta de nuevo a la mesa. Pausa larga.* ELLA *le observa fijamente.)*

ELLA.—*(Muy cariñosa.)* Amorcito...
EL.—¿Sí, mi amor?...
ELLA.—Por favor...
EL.—¿Sí?...
ELLA.—Fíjate un poco más.
EL.—¿En qué?
ELLA.—No ensucies el mantel.
EL.—¡No me lo digas todos los días!
ELLA.—*(Subiendo el tono.)* ¡No hagas ruidos al comer!
EL.—¡No hagas sonar la cucharilla!
ELLA.—No mojes el azúcar!
EL.—¡No frunzas las cejas al morder las tostadas!
ELLA.—¡No arrastres los pies!
EL.—*(Gritando.)* ¡No leas en la mesa!
ELLA.—*(Gritando.)* ¡No grites!
EL.—¡No me escupas!
ELLA.—*(Aullando.)* ¡No voy a permitir groserías en mi propia casa!
EL.—*(Aullando.)* ¡No voy a consentir que me humilles delante del perro! *(Ya no se les entiende nada porque gritan a la vez sin darse respiro. Casi ladran. Bruscamente ambos se callan. Ahora bruscamente inician los gritos simultáneos y vuelven a callarse. Silencio cargado de tensión. Cada uno se enfrasca en su lectura. Leyendo.)* «Jaulas individuales, las mejores y más recomendables con bebedores irrompibles *Rosatex.*»
ELLA.—*(Molesta.)* No necesitamos eso.
EL.—Quizá sí.
ELLA.—¿Lo dices por nosotros?

EL.—*(Candoroso.)* Pensé que sería bueno que tuviéramos huevos frescos en casa.

ELLA.—¿Y qué tienen que ver las jaulas?

EL.—He oído decir que los huevos se sacan de ahí.

ELLA.—¡Pero hijito, yo creo que tú!...

EL.—*(Gritando enfurecido.)* ¡No me llames más «hijito» o me hago pis aquí mismo!

ELLA.—*(Picada.)* Podrías comprar una de esas jaulas para ti.

EL.—*(Picado.)* Estaría seguramente ocupada por tu madre que necesita urgentemente una.

ELLA.—*(Furiosa.)* ¡Grosero! ¡Límpiate la boca antes de hablar de mamá!

EL.—Sí, sería exactamente eso lo que tendría que hacer, pero *después* de haber hablado de tu mamá, sólo que esta mañana no pude encontrar mi cepillo de dientes.

ELLA.—*(Sonriendo en forma automática.)* «¿Encías carcomidas?... ¡Dentol después de las comidas!...”

EL.—*(En forma automática.)* «¡El dentífrico con gustito a «whisky» escocés!»

ELLA.—«Yo, como Susan Hayward y miles de artistas de Hollywood, sólo uso... dentadura postiza!»

ELLA Y EL.—*(Al unísono cantan un «jingle».)*

Un centímetro basta
en cepillo familiar,
con la misma pasta
rinde mucho más...

EL.—*(Reaccionando.)* ¡Sólo dije que no me pude lavar los dientes esta mañana!

ELLA.—Eres un descuidado. (ELLA *abre la revista femenina y lee.)* Mira lo que dice miss Helen, «la amiga de la mujer frente al espejo...» *(Leyendo.)* «El cutis, el cabello, la dentadura, cualquiera que sea nuestro rasgo más hermoso empezemos desde ahora por darle ese toque justo de arreglo extra que hechiza. Sobre todo, mantenga pulcramente los dientes libres del sarro, la nicotina y las partículas de cerdo o bacalao mediante el uso constante de la soda cáustica. Así su novio dirá:

EL.—*(Novio fascinado.)* ¡Tiene algo *indefinible* que me atrae!... *(Reaccionando.)* ¡Basta! Mis Helen no dice lo que hay que hacer cuando el cepillo de dientes de uno se ha perdido.

ELLA.—*(Candorosa.)* Se lo podemos preguntar. Le escribiré a miss Helen. Ella devuelve hasta la virginidad.

EL.—¡No! Quiero que *tú* me digas dónde está mi cepillo.

ELLA.—*(Con amable condescendencia.)* Pero amorcito..., ¿dónde

va a estar? En el lugar de siempre: tirado en cualquier parte.
EL.—Hoy no estaba allí.
ELLA.—¿Se te ocurrió pensar que podía estar en el vaso de los cepillos de dientes?
EL.—¡No!..., pero tampoco estaba.
ELLA.—Extraño. ¿No te lo habrás llevado a la oficina?
EL.—¿Para qué?
ELLA.—Para escribir a máquina.
EL.—Tengo otro allí para eso.
ELLA.—Entonces, no entiendo. ¿Quieres que vaya a ver?
EL.—Será inútil. Es el colmo que mi único objeto personal, el refugio de mi individualidad, también haya desaparecido.
ELLA.—Voy a echar un vistazo. Haz mientras tanto gárgaras de sal. (ELLA *echa agua y sal en un vaso y luego sale.* EL *empieza a hacer gárgaras. De pronto la mujer entra gritando.* EL, *sobresaltado, se atraganta con el agua salada y tose.)* ¡Lo encontré! ¡Lo encontré!... ¡Aquí está!

(Con cara compungida muestra un cepillo de dientes atrozmente inutilizado con pintura blanca para zapatos.)

EL.—¡¡No!!
ELLA.—*(Tímidamente.)* Sí, lo usé ayer para blanquear mis zapatos.
EL.—*(Espantado.)* ¿Qué?
ELLA.—*(Confundida.)* Mis zapatos..., mis zapatos blancos necesitaban con urgencia una manita..., una manita de algo y...
EL.—¡Y no encontraste nada mejor que inutilizar mi cepillo!
ELLA.—No. Traté primero de usar la brocha de afeitar, pero hacía espuma.
EL.—*(Furioso.)* ¡El que va a echar espuma por la boca soy yo!
ELLA.—*(Ingenua.)* Pero si las gárgaras eran de sal.
EL.—*(Patético.)* Esta es la atroz realidad: en mi casa no hay un cepillo de dientes. Parece absolutamente increíble, pero es así. *(Mientras* EL *habla hacia el público derrochando lástima de sí mismo,* ELLA *ha salido un momento hacia el baño.)* Quiero empezar mis deberes en forma cristiana, pero no... ¡El cepillo de dientes de uno se ha perdido! Yo trabajo todo el día como una bestia y cuando al final de la jornada llego a mi casa buscando alguna distracción, como es lavarse los dientes o tejer un poco... ¡Nada, no es posible! ¡O le han usado el cepillo a uno o le han escondido el tejido!... Yo comprendo que no todo ha de ser juerga en la vida. No. Si no es que pretenda lavarme los dientes todos los días. No, no...!, pero un día de fiesta es un día de fiesta y hasta los monjes trapenses se permiten esta clase de esparcimiento!

Pero para mí, no. Para mí no está permitido. Debo tragar salmuera y ocultar mis dientes pudorosamente... Casi es un problema de dignidad humana. ¡Hasta las hienas sonríen sin temor!

(ELLA *ha entrado con expresión triunfante llevando otro cepillo de dientes.)*

ELLA.—*(Encantada con la idea.)* ¡Pero si hay un cepillo!
EL.—¿Cuál se puede saber?
ELLA.—*(Triunfante.)* El mío. Fue el regalo de boda de mi padre.
EL.—¡No pretenderás que me lave los dientes con *tu* cepillo!
ELLA.—¿Qué tendría de particular? Somos marido y mujer.
EL.—Eso no tiene nada que ver. No digas tonterías.
ELLA.—No es una tontería. Es el matrimonio. La compartición de todo: dolor, angustia, alegría ¡y cepillos de dientes!... ¿Acaso no nos queremos?
EL.—No hasta ese extremo.
ELLA.—*(Llorosa.)* ¡Es lo último que creí que iba a escuchar! *(Hacia el público.)* Claro..., puede compartir nuestro dormitorio con una francesa, pero no puede compartir un inofensivo implemento doméstico con su mujer...
EL.—*(Terco.)* Quiero tener mi propio inofensivo implemento doméstico.
ELLA.—No decías eso cuando eramos novios.
EL.—*(Hacia el público.)* Nunca prometí compartir su cepillo cuando eramos novios.
ELLA.—Lo habrías hecho. Me querías.
EL.—No se trata de eso. Se trata de higiene.
ELLA.—*(Lastimera.)* Cuando yo me lastimaba un dedo no pensabas en la higiene. Me lo chupabas y me decías: «Sana, sana, culito de rana...»
EL.—Me cansa..., me cansa oírte, Mercedes.

(EL, *lleno de desesperación, se mete debajo de la mesa hasta desaparecer completamente cubierto por el mantel que llega al suelo.* ELLA *va hacia la mesa y golpea con los puños sobre la cubierta.)*

ELLA.—Te prohíbo que me llames Mercedes... Te prohíbo que me llames de ninguna manera...
EL.—*(Hablando debajo de la mesa sin que se le vea en ningún momento.)* Puedo arreglármelas para no mirarte, pero tengo que oírte. Es cierto que tú tienes tus audífonos y yo tengo mis discos viejos, pero así y todo ¡te oigo! El único lugar

en que encuentro un poco de soledad es en el cuarto de baño. Aquí reina el desodorante y los polvos de talco. Todo es funcional, preciso. Aquí no puedes entrar..., ¡pero has entrado y me has robado mi cepillo de dientes!

ELLA.—*(Repentinamente mirando hacia el público.)* ¡Cierra las cortinas que están escuchando todo!

EL.—*(Asomando la cabeza por debajo del mantel.)* Me importa un bledo que oigan todo. Para eso pagaron.

ELLA.—Si quieres soledad, quédate en tu querido retrete... ¡Yo me iré a casa de mi mamá!

EL.—No te pongas melodramática. Sabes perfectamente que tu madre vive con nosotros.

ELLA.—*(Gritando.)* ¡No lo soporto más! ¡Te odio! ¡Estoy harta de aguantar la marca de tus cigarrillos y el ruido de tus tripas cuando tomas Coca-Cola! ¡Vete! ¡Jamás podremos seguir viviendo como antes!

EL.—Pequeña mujerzuela histérica.

ELLA. ¡Sádico!

EL.—¡Orgánica!

ELLA.—Muérdago!

EL.—¡Mandrágora!

ELLA.—¡Tóxico!

EL.—¡Crustáceo!

ELLA.—Voy a empezar a gritar...

EL.—¡Grita y revienta!...

(ELLA *empieza a gritar como una loca.* EL *sale de debajo de la mesa y se pone de pie enfurecido.*

EL.—¡Cállate, Marta!... (EL *se acerca a* ELLA. *Toma de la mesa el transistor y con un rápido movimiento pasa la larga correa de la radio por el cuello de la mujer. Mientras la estrangula murmura:)* ¡Esperanzada!...

(Luego empieza a apretar hasta silenciarla. La mujer cae al suelo. El hombre la mira un momento. Está jadeando. Luego la toma de las axilas y la arrastra dificultosamente en dirección al dormitorio. Un momento el escenario vacio. Aparece EL. *Ya no jadea en absoluto. Silba un tango. Trae en la mano una corbata negra. La mira reflexivamente y se quita la de color que lleva puesta cambiándola por la de luto. Silba una melodía. Se sienta y se sirve más café. Mientras lo bebe lee en voz alta los titulares de un periódico de formato más pequeño que el anterior.)*

EL.—«Colegiala vejada por siniestro profesor de Educación Física...» «Dos actores golpean violentamente a nuestro crítico teatral...» «Una mujer estrangulada con un...» *(Presta más atención a esto último y sigue leyendo.)*

EL.—«Una mujer estrangulada con un transistor por marido furioso...» Fue encontrado ayer el cadáver de una bella mujer ultrajada cobardemente. Presentaba huellas evidentes de haber sido estrangulada con la correa de cuero de un transistor. La situación se presenta bastante confusa a pesar de su aparente sencillez. Estos son los hechos: a las 8,30 de la mañana la mujer que hacía el aseo en el apartamento y que dice llamarse Antona, tocó el timbre repetidas veces. Al no abrirle nadie usó su propia llave y entró. Preguntó si había alguien en la casa para no importunar y oyó una voz que le decía: «Pasa, Antona...» Encontró al señor preparándose una tostada y en el dormitorio el cadáver de la pobrecita. Las declaraciones que hizo el marido a la policía fueron confusas... (EL *deja el diario y habla directamente al público. Se suelta el cuello y la corbata y adopta el aire fatigado de un acusado en un interrogatorio policial.)* Sí, la maté. La persona que está tirada en el dormitorio es la que yo maté. Y sé muy bien por qué lo hice. Ustedes habrían hecho lo mismo al descubrir a un extraño adueñándose de vuestra casa, desde el pijama hasta el cepillo de dientes. ¿Saben ustedes, señores?... Ella estaba en todas partes. Inexplicablemente la encontraba en la mesa al desayunar, comiéndose mis tostadas; en el espejo, al afeitarme, encontraba su cara poniéndose crema o depilándose una ceja. La sorprendía en la tina de baño. Me despertaba en la noche y la encontraba en mi cama. Era algo irritante. Pero, señores y señoras... ¿A quién maté? ¿A la mujer del espejo? ¿A la desconocida que encontraba algunas veces en mi cama o a la que se parecía tanto a la mujer con quién me casé hace cinco años? ¿La mujer de la radio a transistores? ¿La mujer de quién me estaba enamorando ahora? ¿O, tal vez, era Esperanzada, a quien había escrito a Lista de Correos?... No lo sé. Me dan miedo los extraños. La promiscuidad me horroriza y lo que estaba ocurriendo, como encontrar por las mañanas mi dentadura postiza dentro de la zapatilla de levantarse de una mujer desconocida, fue superior a mis fuerzas. Ustedes han visto: mis discos de Gardel se llenan de polvo porque ella se negaba a bailar tangos. Yo puedo llorar horas enteras escuchándolos. Pero ella no. Ella sólo sufría con el Cuarteto de «Jazz» Moderno. ¿Qué se puede hacer cuando a una persona el bandoneón la pone nostálgica y a otra sólo la trompeta?... ¿Si dos personas no pueden llorar juntas por las mismas cosas, qué otra cosa pueden hacer?... ¡Ustedes tienen la palabra, señores! Pero recuerden que *todos,* todos tenemos un cepillo de dientes...!

(EL *se vuelve a sentar y a anudar la corbata. Adopta el aspecto anterior, despreocupado casi sonriente. Toma el periódico y lee en voz alta e indiferente.)*

EL.—«Esas fueron sus declaraciones. La policía piensa que se trata de un caso típico de crimen pasional. Se busca a una tercera persona, posiblemente francesa. Mañana daremos más informaciones.» (EL *deja el periódico.)* ¡Bah, lo de siempre!... Esta prensa sensacionalista se está poniendo morbosa. Es un veneno para el pueblo... En la realidad, la vida es mucho más aburrida.

(Empieza a echar mermelada en una tostada. Se oye sonar el timbre de la puerta del apartamento. Un silencio. Nuevamente el timbre en forma insistente. Un silencio. Ruido característico de una llave en una cerradura y luego el crujido de una puerta al abrirse. Pasos.

UNA VOZ.—¿Se puede?...
EL.—¡Pasa, Antona, el cadáver está en el lugar de siempre!...
(Las cortinas se cierran.)

FIN DEL PRIMER ACTO

El segundo acto empieza en el mismo momento en que terminó el primero.

EL, con el gesto detenido en el aire y parte de la tostada con mermelada en la boca.

La escenografía se ha invertido, es decir, sobre un eje imaginario ha girado en 180º. Todo lo que se veía a la izquierda está a la derecha y viceversa.

Se escucha el tiembre de la puerta. Un silencio. Nuevamente el timbre. Un silencio. Se abre la puerta y se escuchan los pasos de alguien

UNA VOZ.—¿Se puede?...
EL.—Pasa, Antona, el cadáver está en el lugar de siempre.

(Entra ANTONA. *Es* ELLA, *sólo que lleva un vestido barato, peluca y pendientes. En sus manos un cubo de limpieza, un estropajo, balletas y un escobillón.* ANTONA *es decidida y enérgica, aunque ingenua. Deja el cubo en el suelo y se coloca en la cintura una balleta a manera de delantal.)*

ELLA.—Buenos días, señor...
EL.—Buenos días, Antona.

ANTONA.—Para mí nada de buenos, señor... ¡Qué mañana llevo! Lo único que me falta es encontrar un muerto debajo de la alfombra.
EL.—*(Sobresaltado.)* ¿Por qué dices eso, Antona?
ANTONA.—Porque hay mañanas en que uno no sabe que sería mejor: si tomarse una aspirina o cortarse la cabeza.
EL.—*(Indiferente.)* No lo dudes. Córtate la cabeza.
ANTONA.—Empecé por el apartamento 18 y me recibió el señor completamente en cueros. ¡Cúbrase!, le dije, y me gritó: ¡Guárdate tu beatería que hoy tengo una resaca del demonio y huelo a infierno!
EL.—*(Perplejo.)* Antona, dime... ¿Yo huelo a infierno?
ANTONA.—*(Distraída.)* Sí, señor.
EL.—Gracias.
ANTONA.—Luego en el 25 fundí la aspiradora, me resbalé en el jabón y rompí un espejo. La señora se puso histérica.
EL.—Pero luego, gracias a Dios, llegaste aquí.

(ANTONA *limpia activamente el piso con el escobillón.)*

ANTONA.—Sí. Mientras subía la escalera venía pensando: «Por fin llego a una casa decente y tranquila donde esos señores que viven como palomos...»
EL.—¿Estás segura que así viven los palomos?
ANTONA.—Trabajar para gente educada y distinguida me vuelve el alma al cuerpo.
EL.—¿Cómo se consigue volver el alma al cuerpo? (EL *se ha quedado inmóvil con la mirada fija en dirección al dormitorio.)*
ANTONA.—¿Se siente bien, señor?
EL.—*(Reaccionando.)* Como un cuerpo glorioso, Antona. Enteramente purificado. Es curioso. Esta mañana me siento tan viudo como el cardenal Richelieu.
ANTONA.—¿Y la señora?
EL.—Requiescat in pace.
ANTONA.—¿Qué dice?
EL.—Que duerme como una muerta.
ANTONA.—No diga eso que trae mala suerte. A veces pasan cosas terribles. Un tío mío, el pobre, se durmió cantando... y amaneció afónico. (ANTONA *pone algunas cosas sobre la bandeja.)* ¿Terminó su desayuno, señor?
EL.—Sí, algo me quitó el apetito.
ANTONA.—Entonces voy a llevarle el desayuno a la señora.

(ANTONA *se dispone a dirigirse al dormitorio.* EL *se levanta y se interpone entre ella y el dormitorio.)*

EL.—¡No la molestes ahora! No conseguirás que trague nada. *(Quitándole suavemente la bandeja de las manos.)* Lo estropeas todo con tu prisa. Por eso te resbalas en el jabón y rompes los espejos... *(Acercándose mucho a ella.)* Parece que huyeras de algo. Lo peor de todo es huir, aunque se haya asesinado a alguien... No corras todo el día, Antona. Eso sube la tensión. Hay tiempo para todo. (EL *le pone una mano en la cintura.)* Me gustó eso que dijiste de «vivir como palomos». Repítelo otra vez, ¿quieres?... (ANTONA *se separa de él.)*

ANTONA.—*(En voz baja.)* ¡Ya, pues, no se ponga cargante que la señora puede venir!

EL.—*(Sonriendo.)* No vendrá.

ANTONA.—Claro, siempre dice eso. Tendría que estar muerta para no escuchar las carreras y los gritos que doy todas las mañanas para librarme de sus agarrones.

EL.—Antona, eres bastante tonta, pero tienes un encanto animal.

ANTONA.—*(Feliz.)* ¿De veras?...

EL.—Lo juro. ¿Estás enamorada?

ANTONA.—¿Qué es eso?

EL.—¿Quieres decir que no has oído hablar del amor?

ANTONA.—*(Perpleja.)* Me suena.

EL.—No es posible.

ANTONA.—Palabra.

EL.—Pero Antona, si es tan importante, o incluso más, que la laca para el pelo, los supositorios y los cupones premiados.

ANTONA.—¿En serio?

EL.—Por supuesto. Eso se lo enseñan a uno en la escuela de párvulos.

ANTONA.—Lo que pasa es que una no ha estudiado.

EL.—¡Pero si basta abrir las enciclopedias! Todo el mundo lo sabe. (EL *va hacia un mueble bajo y coge un grueso libraco.)* Vamos a ver... Amor... Amor: «Afecto por el cual el hombre busca el bien verdadero»... Y no hay que confundirlo, Antona, porque hay muchos. Fíjate: Amor seco: «Nombre que se da en Canarias a una planta herbácea cuyas semillas se adhieren a la ropa», ni tampoco con el Amor al uso: «Arbolillo malváceo de Cuba parecido al abelmosco»... ni muchísimo menos con el «lampazo» ni «el almorejo» ni el «cadillo», planta umbelífera...

ANTONA.—Usted no tiene moral.

EL.—*(Consultando el Diccionario.)* Moral... Moral: «Arbol moráceo de hojas ásperas, acorazonadas y flores verdosas y cuyo fruto es la mora.

ANTONA.—Debería darle vergüenza.

EL.—*(Consultando el Diccionario.)* Vergüenza... Vergüenza: «Turbación del ánimo que suele encender el color del rostro.

Se usa también la expresión «cubrir las vergüenzas» refiriéndose a las partes pudendas del hombre y la mujer.»

ANTONIA.—Yo no sé nada de esas cosas.

EL.—Por lo menos deberías saber que las relaciones amorosas se clasifican según su intensidad y sus circunstancias en: condicionales, consecutivas, continuativas, disyuntivas, defectivas, dubitativas, distributivas y copulativas.

ANTONA.—¡Dios mío! ¿Y qué voy a hacer yo que soy analfabeta? (EL *le toma nuevamente de la cintura y trata de atraerla hacia sí.)*

EL.—Antona, ¿has tenido amantes?

ANTONA.—¡Y dale con la misma música!

EL.—No te suelto si no me dices la verdad.

ANTONA.—¡Y cómo va a saber una eso de los amantes, digo yo!... Un atracón por aquí, un revolcón por allá, un forcejeo en un portal, eso es todo... Yo no entiendo esas cosas de los amantes.

EL.—¡Pero una mujer siempre sabe... cuando sí y cuando no!

ANTONA.—Yo no, palabra de honor. A mí como si nada. Cuando voy a darme cuenta ya están abotonándose.

EL.—¡Eres completamente idiota e insensible!

ANTONA.—Es que me criaron con leche de burra. Es una porquería, le diré... Yo opino como mi tío que decía que habiendo una mujer cerca, que se lleven las burras.

EL.—No te aflijas, Antona. Yo creo que, a pesar de todo, eres un ejemplar premiado en cualquiera feria.

ANTONA.—Es lo que me decía mi madre: «Antona, nadie te podrá acusar de ser una mala mujer, y eso es mucho decir, pero de ramera tienes bastante.»

EL.—Palabras cariñosas y sabias.

ANTONA.—Voy a despertar a la señora. (EL *intenta tomarla de un brazo y retenerla.)*

EL.—¡No, no, espera!... Tengo que hablar contigo... Han sucedido algunas cosas...

ANTONA.—Déjeme, que usted tiene mucho cuento para todo.

(EL, *instantáneamente, se pone a contar un cuento con tono paternal.* ANTONA *escucha fascinada.)*

EL.—Este cuento no lo conoces. Es el cuento del rey Abdula, el que perdió su armadura: «Erase una vez un rey que tenía la mala costumbre de comerse las uñas. Un día descubrió que su esposa, la reina, se acostaba con un anarquista adentro de su propia armadura y debajo de su propia cama. Desde entonces dejó de comerse las uñas y empezó a comerse los cuernos»...

ANTONA.—*(Fascinada.)* ¡Oh!... ¿Y el príncipe?
EL.—¿Qué príncipe?
ANTONA.—Siempre hay un príncipe.
EL.—No había querido hablarte de él por delicadeza, porque este príncipe tenía un vicio secreto: arrastraba la lengua por todo el palacio.
ANTONA.—¿Por qué?
EL.—¡Era filatélico!
ANTONA.—*(Con admiración.)* ¡Por Dios que sabe cosas! Lo que es la falta de ignorancia de una... (ANTONA *vuelve a dirigirse al dormitorio. Nueva interposición de* EL.)
EL.—¡No entres al dormitorio!
ANTONA.—¿Por qué?
EL.—Está muy desordenado. Hay cosas tiradas por todas partes en el suelo: mi ropa sucia, mi mujer... en fin, tú sabes, lo que pasa todas las mañanas.
ANTONA.—Ese es mi trabajo.
EL.—¡Te lo prohíbo, Antona!
ANTONA.—Voy a creer que oculta algo.
EL.—¿Cómo lo has adivinado?
ANTONA.—¿El qué?
EL.—Es verdad. Oculto algo y tengo que decírtelo.
ANTONA.—¡Lárguelo de una buena vez!
EL.—Es difícil de explicar. Siéntante.
ANTONA.—¿Otro cuento? ¡Oh, no!... Iré yo misma a enterarme.
EL.—*(En un grito.)* ¡Antona, escúchame! (ANTONA, *antes de entrar al dormitorio, se vuelve hacia* EL.)
ANTONA.—¿Qué?...
EL.—Yo... yo...
ANTONA.—¿Usted qué?...
EL.—Desde hace media hora lo sé. Yo no soy el mismo.
ANTONA.—No entiendo.
EL.—¡Pero si salta a la vista!
ANTONA.—¿El qué?
EL.—Te lo he insinuado en forma delicada durante todo este rato y te niegas a comprenderlo... ¿es posible que no te des cuenta?
ANTONA.—¿Darme cuenta de qué? *(Pausa conmovida de* EL.)
EL.—*(Sin poderse contener.)* ¡Voy a ser madre!
ANTONA.—¿Qué dice?
EL.—Voy a tener un niño.
ANTONA.—¡No puede ser!
EL.—Un niño que es fruto de tu irresponsabilidad y egoísmo.
ANTONA.—¿De manera que quiere achacarme el crío a mí?

EL.—*(Lastimero.)* Antona, no vas a negarlo... ¡No puedes ser tan desnaturalizada!

ANTONA.—Pero si lo único que hemos hecho ha sido darnos pescozones y manotazos en la cocina.

EL.—*(Con pudor.)* Ya ves, así es la Naturaleza... *(Bajando la vista.)* Voy a tener un hijo.

ANTONA.—No lo creo.

EL.—*(Digno y sufriente.)* ¡Antona, no me pedirás pruebas! ¡Sería demasiado doloroso para mí! Tú, mejor que nadie, sabes todo lo que ha habido entre tú y yo... ¡Te juro que tú has sido la primera!

ANTONA.—*(Confusa.)* Todo esto es un enredo. Yo vengo aquí solamente a limpiar el piso y no a sacarle a usted las castañas del fuego. (ANTONA *ya se ha olvidado del dormitorio y está en medio de la sala.)*

EL.—*(Haciendo pucheros.)* Claro, para tí no es nada, apenas un remordimiento... en cambio para mí... *(Su voz se quiebra.)*

EL.—¡Oh, no podré jamás decírselo a mi madre!

ANTONA.—¿Su madre?... ¿Qué diablos tiene que ver ella en todo esto?

EL.—Me repudiará.

ANTONA.—¿Y qué dirá su esposa, digo yo?

EL.—*(Digno.)* Espero que ella le de su apellido.

ANTONA.—Cualquier cosa que esté tramando o engendrando, yo no tengo nada que ver.

EL.—¡Antona, no me des la espalda ahora, después de haberte aprovechado de mí! ¡Oh!... (EL *sufre un desvanecimiento.)*

ANTONA.—*(Alarmada.)* ¿Qué le pasa? Siéntese y deje de pensar en tonterías. No es nada del otro mundo. Todas tenemos que pasar por esto. Le traeré un vaso de agua. (ANTONA *lo arrastra hasta una silla y corre a buscar un vaso a la cocina. Desde allí grita.:)* ¡Esté tranquilo! Esto sólo pasa durante los primeros meses. *(Aparece nuevamente y le da el vaso de agua.* EL *bebe el agua y luego estalla en sollozos.)*

EL.—Por un momento de placer me he convertido en un paria... He sido deshonrado.

ANTONA.—No sea tonto. Ahora la sociedad es mucho más comprensiva que antes. En cambio, en mi pueblo, mi abuelo era tan puritano que cuando la yegua parió, hizo buscar al caballo culpable por todo el campo y, cuando lo cogió, lo capó.

EL.—*(Espantado.)* ¿Pero por qué hizo eso?

ANTONA.—Porque dijo que era un mal ejemplo para mi madre, que estaba soltera. (EL, *al oír el cuento, estalla nuevamente en sollozos.)*

ANTONA.—¿Qué le pasa ahora?

EL.—*(Haciendo pucheros.)* Le tengo miedo a tu abuelo puritano.

ANTONA.—No tenga miedo. Está enterrado en el pueblo.
EL.—Yo también nací en un pueblo. Fui siempre muy ignorante en estas cosas y ahora pago esa ignorancia. Creía que los niños se hacían mezclando dos partes de harina, tres de leche y una pizca de levadura.
ANTONA.—¿Y por qué no se va al pueblo por una temporada? Allí nadie se entera y las criaturas se crían sanitas.
EL.—La reacción típica: librarte de mí. Ahora ya no piensas para nada en el matrimonio.
ANTONA.—Nunca le prometí matrimonio. Además, usted está casado. Debería confesarle todo a su mujer. Ella debería conocer su situación... ¡Yo misma se lo diré! Si no le da un infarto es señal de que terminará por reconocer al crío. (ANTONA *se dirige al dormitorio, pero* EL *la detiene con un grito.)*
EL.—*(Como un demente.)* ¡Si entras en ese dormitorio me mato!... Empezaré a comerme el periódico hasta morir.

(EL *muerde ferozmente el periódico.* ANTONA, *asustada, trata de quitárselo. En el tira y afloja lo desgarran completamente.)*

EL.—*(Patético.)* Tendrás que explicar esto a la opinión pública: deshonrado y muerto por intoxicación de prensa amarilla... ¡La autopsia lo revelará todo! (ANTONA *retrocede unos pasos.)*
ANTONA.—Usted es un hombre peligroso.
EL.—Soy una víctima.
ANTONA.—Quien mal anda mal acaba.
EL.—Al que no es ducho en bragas las costuras lo matan.
ANTONA.—En comer y rascar todo es comenzar.
EL.—Lo que no se hace en un año se hace en un rato.
ANTONA.—Quien su trasero alquila no pasa hambre ni fatiga.
EL.—Cada uno habla de la feria según le va en ella.
ANTONA.—Si quieres un crío, búscate un sobrino.
EL.—Hijo sin dolor, madre sin amor.
ANTONA.—Eramos treinta y parió la abuela.
EL.—A mulo cojo e hijos bobo lo sufren todos.
ANTONA.—Más vale una de varón que cien de gorrión.
EL.—El lechón de un mes y el pato de tres.
ANTONA.—Más cerca está la rodilla que la pantorrilla.
EL.—Más vale casada que trajinada.
ANTONA.—Casarme quiero que se me arrufa el pelo.
EL.—Antona, Antona, uno la deja y otro la toma.

(ANTONA *empieza a deshojar tristemente una rosa del florero.)*

ANTONA.—Me quiere mucho... poquito... nada...
EL.—No hay que desesperar nunca, Antona. Estarías bastante

presentable si no fuera por la cicatriz de tu operación de apendicitis.

ANTONA.—*(Desilusionada.)* Estoy muy venida a menos. Debe ser mi soltería congénita. Es fatal. Engordaré, me arrugaré y un día cualquiera ¡paf!... amaneceré tan inservible y pasada de moda como un corset en naftalina.

EL.—No pierdas las esperanzas de casarte, Antona. Tienes tiempo para escoger entre tanto sinvergüenza que anda suelto por ahí.

ANTONA.—No, es demasiado tarde. Soy el estropajo de todos. ¿Quién me va a querer para algo que no sea freír la tortilla paisana?

EL.—¡Qué ideas tienes, Antona!

ANTONA.—Claro, porque la encuentran a una gusto a lejía se aprovechan.

EL.—Hay muchos que les gustaría conocerte, intercambiar contigo sellos de correos y revistas usadas. En ese sentido eres verdaderamente apasionante.

ANTONA.—Lo he intentado todo. Hasta escribir a un consultorio sentimental. Firmé «Esperanzada» y sólo me respondió un tío baboso que debe ser casado y tripudo. No le entendí una palabra. Firmaba «Pepe Solo». Debe ser un vicioso.

EL.—*(Estupefacto.)* Entonces... ¿tú eres «Esperanzada»?

ANTONA.—Sí. Ya sé que se va a reír de mí.

EL.—*(Para sí.)* Así que tú eres la que buscaba un alma gemela.

ANTONA.—*(Orgullosa.)* Sí, esa frase la escuché en «Flor de Fango».

EL.—¿En qué?

ANTONA.—¿Usted no escucha «Flor de Fango»?

EL.—No.

ANTONA.—Es terriblemente emocionante. Primero se oye una música de esas que ponen la carne de gallina y luego la voz de un locutor medio marica, muy simpático, que dice: «*¡Nosotras* sabemos que Fibronylon nos acaricia! ¡Fibronylon remercerizado, su nylon de confianza, el nylon que es casi un confesor!, presenta «Flor de Fango»... De recordarlo no más me pongo tiritona.

EL.—*(Para sí.)* «Esperanzada», tengo la impresión de que no nos complementaremos para siempre... Si tiene algún defecto visible o una enfermedad invisible, consulte al especialista... Ya no es necesario enviar foto... Yo, feúcho, pero dicen que neurasténico perdido. La saluda y olvida para siempre...»

JOSÉ

ANTONA.—No sé lo que quiere decir, pero ya es hora de que termine mi trabajo. (ANTONA *se dirige al dormitorio en forma decidida.)*

ÉL.—¡No, todavía no!
ANTONA.—Voy a despertar a la señora.
ÉL.—Se necesitarían las trompetas del Juicio Final.
ANTONA.—No quiero jugar más a las adivinanzas y si me sigue poniendo dificultades me marcharé al extranjero. Hoy en día una está muy solicitada, no crea.
ÉL.—*(Impresionado.)* ¡Oh, eso jamás! ¡No! Cualquier cosa antes que eso, Antona. Tú sabes que nosotros somos buena gente, sin antecedentes penales... *(Implorante.)* ¡Esperanzada, Antona, Toña, Toñita!... ¿cómo te llamaban de pequeña cuando te daban la papilla?
ANTONA.—Cuqui... pero no creo que tenga nada que ver.
ÉL.—*(Apasionado.)* ¡Cuqui, Cuqui!... Haremos cualquier cosa por ti. Te casaremos con mi jefe que es alcohólico, con el hijo del vecino que es numismático, o con mi director espiritual que es pastor luterano o en un caso extremo conmigo mismo... ¡Todo antes que perderte!
ANTONA.—¿Y consentirá su esposa?
ÉL.—¿El qué?
ANTONA.—Esta boda tan precipitada.
ÉL.—¿Ella?... Por supuesto. Ella no dirá una sola palabra. Tú sólo tendrás que pasarle un poco el plumero, regarla de cuando en cuando y ¡listo! *(Tierno.)* Envejeceremos los tres juntitos sentados frente al televisor.
ANTONA.—¿Podré usar la ropa de la señora, también?
ÉL.—Naturalmente. Hasta su cepillo de dientes.
ANTONA.—Voy a pensarlo. De todos modos, tráigame referencias suyas, recomendaciones y radiografías.
ÉL.—*(Implorante.)* Cuqui, Cuqui, tengo los mejores informes bancarios. Si quieres aprenderé el alemán para que te sientas en el extranjero. Soy capaz de todo... ¡Pero no te marches!
ANTONA.—No creo que sea posible casarme con usted por el momento. Y no es que sea una beata, pero me resultaría chocante que su esposa, usted y yo... usted me comprende ¿no? Existe la moral y las buenas costumbres. Una puede haber llegado muy bajo, pero compartir la televisión con un hombre casado por las dos leyes es repugnante.
ÉL.—Sí, pero tiene el encanto de lo prohibido.
ANTONA.—Las fantasías tienen su límite. No forcemos la Naturaleza.
ÉL.—¡Traspasa tus propios límites, Antona!
ANTONA.—¿No tiene nada más que ofrecerme?... ¿Eso es todo?
ÉL.—Te haré socia del Club del Oyente.
ANTONA.—No me interesa.
ÉL.—Te sacaré una póliza de Seguros.

ANTONA.—Es inútil. (ANTONA *está a punto de entrar en el dormitorio.)*

EL.—¡Escucha! Por ti llegaré hasta el fin... ¡Bailaremos *un tango* cada día!

ANTONA.—*(Embelesada.)* ¡Oh, Dios mío! ¿Será capaz de tanto?...

(EL *coloca en el viejo gramófono un disco de Gardel.* ANTONA *tira al aire el estropajo y el cubo de limpieza.)*

EL.—¡Cuqui, nuestro baile!... ¡En este maldito claustro, un tango después de ocho años de silencio!

(Bailan apasionadamente. Parecen transportados. Casi al terminar el tango, el disco se pone a girar sobre el mismo surco rayado. EL *se desprende de ella y va hacia el gramófono.* ANTONA, *mientras tanto, se arregla el delantal y entra al dormitorio diciendo entre risitas nerviosas):*

ANTONA.—¡Señora... no vaya a creer nada malo... antes que faltarle el respeto o usted preferiría estar muerta...

(Se interrumpe. Se escucha un grito penetrante de ANTONA *desde el dormitorio. Sale* ANTONA *tambaleándose por la impresión.* EL, *abstraído, parece casi feliz. En el gramófono se escucha un acompañamiento de guitarra para el canto de* EL.)

ANTONA.—¡Dios mío!... ¿Qué ha pasado?

EL.—*(Cantando el conocido tango de Gardel.)*

«Sus ojos se cerraron
y el mundo sigue andando
Su boca que era mía
ya no me besa más...»

ANTONA.—*(Espantada al ver la insensibilidad de* EL *que canta tangos.)* ¿Se ha vuelto loco?... ¿Se olvidó que tiene a su mujer tirada en el dormitorio?... ¿No siente compasión de nadie?...

EL.—*(Canta.)* «Y ahora que la evoco
sumido en mi quebranto
las lágrimas prensadas
se niegan a brotar
y no tengo el consuelo
de poder llorar...»

ANTONA.—*(Retorciéndose las manos.)* ¿Por qué lo hizo?... ¿Por qué?...

EL.— «Por qué sus alas
tan cruel quemó la vida.
Por qué esta mueca
siniestra de la muerte...
Quise abrigarla
y más pudo la muerte...

ANTONA.—¡Le costará muy caro! Dentro de un momento estará aquí la policía...

EL.— «Yo sé que ahora
vendrán caras extrañas
con su limosna
de alivio a mi tormento...»

ANTONA.—¡Le arrancarán la verdad!... Yo podré atestiguar la verdad...

EL.— «Todo es mentira
mentira ese lamento.
Hoy está solo mi corazón...»

ANTONA.—No se haga ilusiones. No espere que esto vaya a quedar sin castigo.

EL.— «En vano yo alentaba
febril una esperanza.
Clavó en mi carne viva
sus garras el dolor...»

ANTONA.—Abriré las ventanas y empezaré a gritar como una loca a la gente que pasa por la calle...

EL.— «Y mientras en la calle
en loca algarabía
el carnaval del mundo
gozaba y se reía
burlándose el destino
me robó su amor...»

(ANTONA, *fuera de sí, coge el disco de Gardel y lo rompe. Luego se enfrenta a* EL.)

ANTONA.—*(Frenética.)* ¿Por qué... por qué...?

(EL *la mira un momento fijamente, casi dolorosamente y luego estalla:)*

EL.—¡Porque sí!... Porque calzo el 42 y ella el 37; porque tengo cinco millones de glóbulos rojos y ella sólo cuatro millones doscientos; porque sus hormonas son enemigas de las mías; porque yo fumo negro y ella fuma rubio; porque las lentejas la hinchan y a mí me deshinchan; porque a mí me gustan las mujeres y a ella los hombres; porque ella cree en Dios y yo también; porque somos tan diferentes como dos gotas de agua y, sobre todo, ¡porque sí, porque sí!

ANTONA.—*(Recobrándose poco a poco.)* ¡Era tan buena la pobrecita! Todos los Miércoles de Ceniza me regalaba sus medias corridas. ¡Dios mío! ¿Cómo fue capaz?... ¿Qué hace usted aquí todavía?... Seguramente quiere comprometerme, quiere mezclarme en esta pesadilla... ¡Pero yo contaré la verdad!... ¡Me creerán... Tienen que creerme... Yo no sé nada más... ¡No sé nada!... *(Gritando.)* ¡No sé nada!

(Se apagan casi todos los reflectores hasta producirse una penumbra. EL *enfoca el rostro de* ANTONA *con una potente linterna. La cruda luz de la linterna cae de lleno sobre el rostro asustado de* ANTONA. EL *habla desde la penumbra.* ANTONA *está inmovilizada. El diálogo es seco y rápido.)*

EL.—¿Nombre
ANTONA.—Antona, los días de trabajo, y Cuqui, los días de fiesta.
EL.—¿Edad?
ANTONA.—Vaya una a saber...
EL.—¿Domicilio?
ANTONA.—Al fondo, a la derecha.
EL.—¿Profesión?
ANTONAN.—Lo que caiga.
EL.—¿Religión?
ANTONA.—Homeópata.
EL.—¿Estado?
ANTONA.—Un día sí y otro no.
EL.—¿Víctima?
ANTONA.—La señora del 36: ¡una santa!
EL.—¿Arma homicida?
ANTONA.—Transistor de alta infidelidad.
EL.—¿Móvil del luctuoso suceso?
ANTONA.—Nada de palabrotas con una que es decente.
EL.—¿Existen pruebas de robo con profanación del cadáver?
ANTONA.—*(Lloriqueando.)* Yo me visto con su ropa porque ella misma me la regalaba. Si le saqué una sortija y una cadenita de oro al cadáver fue sólo para tener un recuerdo... ¡Era una madre para mí!... ¡Mamaaaa!
EL.—¡Basta! *(Cesa el lloriqueo.)* ¿Coartada?
ANTONA.—¿Qué?
EL.—¡Sea precisa!... ¿Qué hizo la noche del 25 de julio?
ANTONA.—Lo que me pedía el cuerpo, señor comisario.

EL.—¿Confiesa, entonces?

ANTONA.—Soy inocente como un recién nacido. Puedo demostrar que a la hora del crimen le hacía el amor al señor y al mismo tiempo miraba un concurso en la televisión y comía un bocadillo. A mí me gusta así, ¿sabe?...

(Vuelve la luz al escenario. EL *cambia a locutor de TV usando la linterna como micrófono.* ANTONA, *nerviosa y sonriente como una concursante. Ambos hablan directamente al público. El hace las preguntas con un tono brillante y empalagoso propio de los locutores de TV.)*

EL.—¡Le doy una última oportunidad! Si no responde a mis preguntas perderá el Gran Premio que ofrece Microlene, la única fibra de *homologación texilor*. ¿Quién estranguló a la mujer transistorizada?...

ANTONA.—¡El manco de Lepanto!

EL.—Tibio, tibio... ¿Quién fue el culpable?

ANTONA.—¡Ben-Hur!

EL.—Casi, casi... ¡Haga un esfuerzo! Recuerde que la miran 150 millones de telespectadores de Eurovisión. ¿Quién mató a la francesa del cuarto de invitados?

ANTONA.—¿Juana de Arco?

EL.—No, que yo sepa.

ANTONA.—¡Caín!

EL.—No.

ANTONA.—La del manojo de rosas.

EL.—No.

ANTONA.—Mi tío Onofre.

EL.—Piense, piense...

ANTONA.—*(Pujando en forma concentrada.)* Mmmmmm...

EL.—¡Otro esfuerzo!

ANTONA.—*(Sigue pujando con esfuerzo.)* Mmmmmm...

EL.—¡Basta, no siga pujando!... ¡Microlene *piensa* por usted!

ANTONA.—Deme una última oportunidad.

EL.—Está bien: por última vez, ¿quién mató a la mujer del apartamento 36?

ANTONA.—Este..., lo tengo en la punta de la lengua...

EL.—Dígalo.

ANTONA.—*(Triunfante.)* ¡El gas butano!

EL.—No. Lo siento.

ANTONA.—*(Sonriendo pícaramente.)* Ya sé... Pero si era tan fácil.

EL.—¿Quién fue?

ANTONA.—*(Empujándolo con coquetería.)* ¡Usted!

EL.—Desgraciadamente ha perdido su última oportunidad. El Jurado me dice que la respuesta a la pregunta es: ¡San Inocencio Abad, de 1234 a 1305! *(Bruscamente* EL *se sienta y habla con un tono grave y sacerdotal. La vista baja. Las manos en el regazo.* ANTONA *se arrodilla junto a él. Como padre Abad.)* ¿Tienes algo más que decirme, hija mía?

ANTONA.—*(Contrita y avergonzada.)* Yo no sé... Creo que no, padre Abad.

EL.—¿Estás segura, hija mía?... ¿Nada más?

ANTONA.—*(Muy avergonzada.)* Sí, padre Abad. Falta lo más gordo. No puedo evitarlo. El señorito me pellizca todos los días. Ponemos mucho cuidado para no pecar, claro. Incluso él elige las partes más neutras y menos pecaminosas —los codos, por ejemplo—, pero, así y todo, es completamente desmoralizador. ¿A usted lo han pellizcado alguna vez, padre?

EL.—Sí.

ANTONA.—Es terrible, ¿no es cierto? A mí eso me hace polvo, me deja completamente indefensa. Yo he pasado por el mundo como una mártir, de pellizco en pellizco.

EL.—*(Empezando con tono de inquisidor y continuando con un progresivo tono libidinoso.)* ¡Culpables de Alta concupiscencia... Concupiscencia... Concupiscencia... *(Mimoso, acariciándole la barbilla a* ANTONA.) Concupichencha... Concupichencha... Concupichenchita...

(ANTONA *reacciona, le muerde el dedo y se pone de pie.)*

ANTONA.—Yo no voy a seguir esta comedia, señor. Está bien que una sea ignorante y un poco diabética, pero eso de guardarle sus muertitos debajo de la cama es mucho pedirme.

EL.—*(Mimoso.)* Cuqui, no te pongas escrupulosa.

ANTONA.—Avisaré a la Policía. Conozco a un general retirado que viene corriendo en cuanto doy un silbidito.

EL.—¡Hazlo, me encantan los generales retirados!

(ANTONA *se mete dos dedos en la boca y lanza un silbido penetrante.)*

ANTONA.—Entra siempre por la ventana rompiendo los cristales.

EL.—Tenemos poco tiempo, entonces.

(Ruido de cristales rotos fuera del escenario. El se acerca a ANTONA *con apasionamiento.)*

EL.—*(Intensamente.)* ¡Antona, llévame a la horca si quieres, pero antes escúchame! Tu olor a lavaplatos me conmueve, me exalta, me rejuvenece. Déjame solamente mirarte por el ojo de la cerradura y seré feliz. Si me dejas atisbar por tu escote con una lente teleobjetivo granangular de 1,5 milímetros, moriré de placer.

(ANTONA *se deshace del abrazo.)*

ANTONA.—No se ponga pesado, señor, que el cadáver de la señora nos puede sorprender.

(El con más intensidad y apasionamiento todavía.)

EL.—¡Antona, átame las manos si es preciso!... ¡Mutílame! ¡Desfigúrame! ¡Márcame para toda la vida...!, pero déjame quitarte esa legaña del ojo!

ANTONA.—*(Entregándose.)* ¡Basta!... No puedo resistir más... No puedo... *(Desfallecida.)* ¡Lujuria, lujuria, aquí estoy!

EL.—¡Y que el mundo se haga polvo a nuestro alrededor! *(Se acercan apasionadamente e inician una grotesca parodia del acercamiento o del abrazo amoroso. Toda la pantomima de grotesca incomunicación física se desarrolla siguiendo una música distorsionada. Sería preferible usar música concreta y no electrónica.*

Da la impresión de una pesadilla. Esta especie de absurda lucha amorosa frustrada lleva una progresión que culminará con la destrucción de objetos. Jarrones, sillas, cuadros caen al suelo.

Algún muro de la habitación caerá hacia atrás. Del techo caen objetos diversos que se rompen en el suelo. La pareja está ajena a todo esto. Ambos, jadeantes y hechos un nudo ruedan por el suelo y se separan. No pueden hablar durante un momento. ANTONA *se pone de pie dificultosamente después de un momento y cambia sus modales y su voz por los de* ELLA, *o sea, la* ESPOSA *del primer acto. El le habla desde el suelo. Ninguno de los dos parece advertir la destrucción general.)* Consuelo, Marta, Beatriz, Mercedes, Soledad..., ¿es verdaderamente necesario que cada mañana tengamos que repetir todo esto?

ELLA.—¿A qué te refieres, cariño?

EL.—Sabes perfectamente a qué me refiero. Resulta agotador.

ELLA.—Mi parte no es fácil tampoco. Si por lo menos se te ocurriera algo nuevo.

EL.—Eso es lo espantoso. ¡Siempre algo nuevo! Para hacernos el amor vamos a tener que contratar a un asesor.

ELLA.—No es una mala idea.

EL.—¿Y si tomáramos el desayuno como todo el mundo? ¿Y si nos amáramos como lo hacen todos?

ELLA.—En nosotros *eso* sería una perversión. Todo lo nuestro es inconfesable..., pero todavía humano.

EL.—Es verdad que si no te estrangulo todos los días no te quedas tranquila.

ELLA.—Bueno, eso es muy corriente... ¿Qué esposa decente no desea ser estrangulada de vez en cuando?

EL.—No te lo hecho en cara. A ti te hace feliz. Pero no me reproches que yo también tenga mis debilidades.

ELLA.—Yo no te reprocho nada, sólo que no entiendo por qué no vives con Antona y ya está.

EL.—Es una idea que ya se me había ocurrido. Siempre que Antona acepte disfrazarse de ti.

ELLA.—Yo creo que las ideas iniciales no eran malas, pero las hemos bordado tanto que ahora están prácticamente agotadas.

EL.—¿Qué podemos hacer?

ELLA.—Nada. *(Un silencio.)*

EL.—¿Y si probáramos a hacernos el amor en latín?

ELLA.—Es una lengua muerta.

EL.—¿Y en sánscrito?

ELLA.—¿En qué?

EL.—En sánscrito. Creo que es el idioma de los sordomudos o algo así.

ELLA.—No tengo idea.

EL.—Podías haberme dicho que no conocías el sánscrito antes de casarnos.

ELLA.—No me atreví.

EL.—¡Estamos arreglados! Esta vez sí que la has hecho buena.

ELLA.—Conozco unas palabras en arameo.

EL.—Y yo unos «slogans» de propaganda en checo.

ELLA.—*(Apasionada.)* «Cravina el Mutara.»

EL.—*(Apasionado.)* «Eskoliava prinka Voj.»

ELLA.—«Alaba del Tamara jaín.»

EL.—«Mirnakova elbernia kol». *(Un silencio.)*

ELLA.—¿Te pasó algo?

EL.—No.

ELLA.—¿Estás seguro?

EL.—Sí.

ELLA.—A mí tampoco.

EL.—Es horrible.

ELLA.—¿Qué?

EL.—Todo.

ELLA.—No lo había pensado.

EL.—Pero es así.

ELLA.—No nos pongamos tontitos, mi amor. Es verdad que tu madre embalsamada nos da un poco la lata, que a ti se te cae el pelo y a mí el repollo me da flato, pero, en realidad, lo pasamos fantásticamente. Tenemos nuestro pisito al lado mismo del parque de atracciones. Todas las noches tenemos al alcance de la mano ruletas con premios, tiro al blanco, túnel del amor y sorpresas... ¿Qué más se puede pedir?

(El *se acerca a* Ella *y la abraza suavemente hundiendo su cara en su cuello.)*

El.—Quizá tengas razón.

(El *la besa en el cuello. Se empieza a escuchar la música de arpa que sugiere la tonadilla de un tiovivo en una feria.)*

Ella.—¿Escuchas?... ¡Es la música del tiovivo! Es la hora en que empieza a girar... Comienzan las atracciones. (Ella *lo besa.)*
El.—¡Qué bien hueles!
Ella.—*(Coqueta.)* Sé que te vuelve loco. Es el superdetergente tamaño gigante Bimpo.
El.—*(Cariñoso.)* No digas tonterías, cariño... Ya te he dicho que yo sólo me descontrolo con Tersol, «que brilla en su cocina cómo un sol...»
Ella.—*(Impaciente.)* No seas testarudo... «Sólo Bimpo huele a Bimpo.»
El.—«Hace tiempo que hice mi elección: insisto en Tersol.»
Ella.—*(Molesta.)* «¡Bimpo es *más* blanco y contiene Fenol 32.»
El.—*(Irritado.)* «¡Pero Tersol regala cupones para conseguir un televisor.»
Ella.—*(Enojándose.)* «Bimpo es único. Más pureza en más tamaño.»
El.—*(Enojándose.)* ¡Idiota! «Tersol no es un sustituto, es el detergente definitivo.»
Ella.—¡Ignorante! Bimpo es la fórmula alemana para la ropa blanca del mundo.
El.—*(Gritando.)* ¡Tersol blanquea *más!*
Ella.—*(Gritando.)* ¡Bimpo hace millonarios y elimina el fregado!
El.—*(Aullando.)* ¡¡Tersol es la vida de su hogar!!
Ella.—*(Aullando.)* ¡¡Bimpo protege sus manos!!
El.—*(Aulla con la cara pegada a la de* Ella.) ¡¡Tersol!!
Ella.—*(Aulla con la cara pegada a la de* El.) ¡¡Bimpo!! *(Los dos gritan al mismo tiempo los nombres varias veces. Súbitamente* Ella *toma un tenedor de la mesa.* El *instintivamente coge un cuchillo. Ambos están frenéticos. Se miron fijamente nombrando sus detergentes favoritos en voz baja. Ambos se agreden salvajemente en una especie de duelo a muerte. Aprovechando un movimiento en falso de* El, Ella *le entierra el tenedor en el vientre.* El *se dobla sobre sí mismo.* Ella, *aún histérica, se lo clava varias veces más en el cuerpo repitiendo como una loca:)* ¡¡Bimpo, Bimpo, Bimpo...!! (El *cae pesadamente al suelo.* Ella *lo arrastra hacia el dormitorio. Sale casi inmediatamente de allí con el tenedor completamente en-*

sangrentado en la mano. Lo mira un momento fijamente, deteniéndose en medio del escenario.) Anoche soñé con un tenedor. Bueno, eso no tiene nada de extraordinario porque «todas las noches» sueño con un tenedor...

(Limpia el tenedor cuidadosamente con una servilleta. Se sienta a la mesa y se prepara una tostada con mermelada. Suena el timbre. ELLA *no le hace caso. Suena nuevamente el timbre.)*

VOZ DE EL.—¿Se puede?...

ELLA.—¡Pase, el cadáver está en el lugar de siempre!...

(Una pausa. Entra EL *tambaleándose. Su camisa blanca bañada en sangre. Con una mano se aprieta convulsivamente el vientre.)*

EL.—¡No, el cadáver *no* está en el lugar de siempre!

ELLA.—*(Levantándose.)* ¡¡Padre!!

EL.—Isabel, es preciso decir algunas palabras antes de terminar... ¡El mundo debe escucharnos!

(Las rodillas se le doblan y cae al suelo, pero aún tiene fuerzas para arrastrarse hasta cerca de las candilejas. ELLA *horrorizada corre hacia* EL.)

EL.—*(Agónico.)* Amelia, Amelia, escúchame... antes de que sea demasiado tarde. (ELLA *se arrodilla poniéndole la cabeza en su regazo.)*

ELLA.—*(Con la voz quebrada.)* ¡Oh!... ¿Qué hemos hecho? ¿Hasta dónde nos ha llevado el egoísmo?

EL.—*(En un supremo esfuerzo.)* Te perdono, Elvira... Hemos buscado la felicidad en forma equivocada. Nos hemos destruido...

ELLA.—*(Gime.)* Sí, nos hemos aniquilado... ¿Por qué matamos siempre lo que más amamos?

EL.—Sólo... el amor... es fecundo.

ELLA.—¿Qué será de nosotros?

EL.—Más allá del juicio de los hombres... nos levantaremos... de nuestras propias cenizas.

ELLA.—*(Patética.)* Sólo ahora, cuando es demasiado tarde, veo claramente la verdad: ¡la incomunicación..., la incomunicación... es producida por las malas condiciones atmosféricas!

EL.—*(A punto de morir.)* Mi última palabra... es...

ELLA.—*(Anhelante.)* ¿Sí?...

EL.—*(En un estertor.)* ¡Paz..., paz!

ELLA.—*(Conteniendo sus lágrimas estoicamente.)* La grabaré en mi corazón para no olvidarla nunca: ¡paz, paz!

EL.—Espera..., no me has dejado terminar... Mi última palabra es paz..., ciencia..., paciencia.
ELLA.—¡Oh! Es reveladora, simple: pa-cien-cia. Es una palabra dulce como una mordaza y llevadera como una espina.
EL.—*(Con un hilo de voz.)* Josefina...
ELLA.—*(Sin mirarlo.)* Dije espina.
EL.—Adiós..., Josefina.
ELLA.—*(Insistiendo.)* Es-pi-na. *(Poniéndose de pie y dejándose llevar por su propia exaltación.)* ¡Gracias por el sacrificio de tu vida!... Te lo juro que no será inútil. *(Al público y en tono trascendental.)* Si cada uno de nosotros llevamos la guerra en nuestro propio corazón. ¿Cómo evitaremos la conflagración mundial?
EL.—*(Elevando el tono de moribundo.)* ¡Josefina!
ELLA.—*(Exaltada.)* En el más pequeño rincón de nuestro hogar se juega el porvenir de la Humanidad.
EL.—*(Perdiendo el tono de moribundo.)* ¡Josefina!
ELLA.—*(Adelantándose unos pasos hacia el público.)* Cuando en el secreto de nuestra intimidad no se levante ni una sola voz agresiva... ¡El mundo estará salvado!
EL.—*(Levantando la cabeza y aullando.)* ¡¡Josefina!!
ELLA.—*(Volviéndose con naturalidad.)* ¿Qué?
EL.—*(Después de una pausa y dejándose caer muerto.)* Adiós.

(En este momento los bastidores que conforman la escenografía o cualquier otro elemento que se haya usado, empiezan a moverse desapareciendo, unos hacia arriba y otros hacia el lado. Se desplazan lentamente. Sólo quedan los muebles. Al fondo se verá la muralla del escenario manchada y llena de palos y bastidores inconclusos. Los muebles y los dos actores parecen flotar en un ámbito incongruente y absurdo. ELLA *mira a su alrededor muy desconcertada.)*

ELLA.—¡Es el colmo! Todavía no hemos terminado.
EL.—*(Incorporándose.)* ¿Qué pasa?
ELLA.—Están deshaciendo nuestro parque de atracciones.
EL.—*(De pie.)* ¡Todos los días lo mismo!... *(Gritando hacia los laterales.)* ¡Dejen todo como está! ¡No hemos terminado! *(Un silencio. Y luego el último bastidor o elemento es retirado.)*
ELLA.—Deberías hacer algo.
EL.—¿Qué?
ELLA.—Quejarte a alguien.
EL.—Un día de estos lo haré.
ELLA.—*(Desalentada.)* Es inútil. Además, pensándolo bien, no podía durar.
EL.—¿Por qué no?

ELLA.—Era demasiado divertido. Eso no está bien.
EL.—¿Qué es lo que no está bien?
ELLA.—Divertirse sin remordimientos.
EL.—No habíamos terminado... ¡Eso es lo importante!
ELLA.—No he visto nunca algo más terminado que lo nuestro.
EL.—Por lo menos no se llevarán el gramófono ni mis discos.

(Va a la mesa y coge la enorme bocina. Su aspecto sosteniendo el gramófono es grotesco.)

ELLA.—No permitiré que desaparezca mi lámpara china de papel de arroz.

(ELLA *coge un globo de papel que cuelga en un costado. Ambos se quedan en la mitad del escenario sin atinar a dónde ir con sus respectivas cargas. De pronto se quedan mirando el uno al otro.)*

EL.—Te ves ridícula.
ELLA.—Te ves grotesco. *(En ese momento se apagan algunos focos.)* Están apagando las luces de nuestro campo de batalla.
EL.—*(Gritando hacia el fondo de la sala.)* ¡No apaguen las luces que no hemos terminado!
ELLA.—No te oyen. *(Se apagan casi todos los focos.)* Dentro de un momento estaremos a oscuras.
EL.—Como siempre. *(Se apagan los últimos focos. Sólo queda uno, cenital, en medio del escenario.)* Casi me siento mejor así, en esta penumbra y sin nada alrededor.
ELLA.—Por lo menos es una sensación nueva que no se nos había ocurrido. Me voy.
EL.—*(Sincero.)* Quédate sólo un momento. Es importante.
ELLA.—¿Para qué?
EL.—Deja tu absurdo globo en cualquier parte y dame la mano.
ELLA.—Para eso tendrás que soltar esa espantosa victrola. *(Ambos dejan sus respectivas cargas en el suelo.)* ¿Y?...
EL.—Estaba pensando que quizá no era tan difícil...
ELLA.—¿El qué?...
EL.—Todo.
ELLA.—¿Qué quieres decir?
EL.—Tal vez se trataba de decir una sola palabra. Una palabra bien sencilla que lo explica y lo arregla todo... Una palabra justa en el momento justo...
ELLA.—¿Una palabra?
EL.—Sí..., ¡y voy a decírtela!
ELLA.—*(Sincera.)* ¡Sí, dímelo, por favor! *(Se juntan al medio del escenario bajo el único foco cenital. Sus manos están a punto de tocarse.)*

EL.—Bueno..., yo... *(Se apaga el foco cenital. Oscuridad completa. Un largo silencio expectante.)*
ELLA.—*(Anhelante.)* ¡Dilo, dilo, por favor!...
EL.—*(Aullando en la oscuridad.)* ¡¡Mierda!! ¡Danos un poco de luz! *(Un largo silencio expectante en la más completa oscuridad.)*
ELLA.—*(En la oscuridad y con una voz susurrante.)* Dame la mano. Tengo miedo.
EL.—*(Con la misma voz.)* Es imposible. No te veo. ¿Dónde estás?
ELLA.—Muy cerca tuyo.
EL.—Es lo mismo que si no estuvieras.
ELLA.—Tal vez encendiendo una cerilla.
EL.—O los cirios del último velatorio.
ELLA.—Se podría intentar... *(Ambos encienden una cerilla y prenden las velas de dos candelabros mortuorios que antes no se habían visto en el escenario, pero que ahora están en el suelo. El escenario desnudo se ve a la débil y parpadeante luz de los cirios.* ELLA *toma el arpa que se había visto durante la obra en un rincón y* EL *un largo tejido inconcluso. Con él en las manos se sienta en la mecedora.* ELLA *empieza a tocar el arpa. Interpreta el «leit motiv» de la obra el sugerente y reiterativo tema del tiovivo del parque de atracciones.* EL, *sin pizca de inhibición ni de burla, se pone a tejer, meciéndose. Ambos sonríen beatíficamente.* ELLA *sin dejar de tocar el arpa.)* El día ha sido maravilloso!, ¿verdad?... ¡Cuánto nos hemos divertido juntos!
EL.—Pero no ha quedado nada del parque de atracciones.
ELLA.—Por lo menos hasta mañana en que inventaremos otro.
EL.—No nos aburrimos jamás... Cada día es una deliciosa sorpresa con premios, un largo túnel del amor.
ELLA.—En realidad..., ¿cómo podemos sobrevivir?
EL.—¿A qué?
ELLA.—A este cariño tremendo.
EL.—¡Somos fuertes!
ELLA.—¡Invulnerables!
EL.—¡Inseparables!
ELLA.—¡Intolerables!
EL.—¡In-to-le-ra-bles!...

(Las cortinas se cierran mientras EL *sigue tejiendo y meciéndose y* ELLA *sigue tocando el arpa.*

FIN DE LA OBRA

REQUIEM POR UN GIRASOL

OBRA EN DOS ACTOS

«Cuida de no morir antes de tu muerte»...

Vicente Huidobro.

ACTO PRIMERO

Interior de la elegante *Empresa de Pompas Fúnebres «Conformidad Ltda.»*.

Se supone que la calzada pasa frente al local en forma paralela a la embocadura del escenario. El patio de butacas es la calle. Cortinajes gruesos y pesados. Ambiente untuoso y sofocante. Una estatua de bronce o de mármol que representa alguna cursi sublimación del dolor.

En alguna parte un letrero y una mano con el dedo índice extendido que indica una dirección. El letrerito dice: «Féretros. Exposición de modelos». Otro letrero y otra mano idéntica que indica en otra dirección. El segundo letrerito dice: «Sala de estar para deudos».

La puerta del local, al abrirse, produce un sonido de campanillas. En el interior algunos muebles de estilo grave y pretencioso.

Antes de levantarse el telón se escucha *El tema de Manuel* (que es una especie de canción de cuna melancólica). Al levantarse el telón (aún se escucha la música) se ve la fachada del local de Pompas Fúnebres que da a la calle. El amplio ventanal está cubierto con una cortina. La puerta de entrada tiene un cartelito que dice: «Cerrado». En alguna parte del frontis, un discreto y pulcro letrero en dorado que dice: «Conformidad Ltda.». Y con letras más pequeñitas: «Servicios y Honras Fúnebres».

Entra Manuel. Es un hombre flaco, demacrado; la ropa le cuelga. Viste un traje negro viejo. Lleva una larga y raída bufanda alrededor del cuello.

Abre la puerta del local. Quita el letrerito de «Cerrado» y corre las cortinas que cubre el gran ventanal a la calle.

Se saca la bufanda con gesto cansado. Tiene un escalofrío. Saca una pastilla y se la traga con un poco de agua. Parece enfermo.

Saca de un cajón del escritorio un pulverizador y va echando perfume al local completo. Guarda el pulverizador. Da vueltas un conmutador que hace funcionar un magnetófono y se empieza a escuchar un Requiem u otro fragmento de música sagrada.

MANUEL saca una bayeta y se pone a limpiar los grandes e imaginarios cristales que dan a la calle. Esto lo hace de cara al público. Mientras hace esto, se escucha una voz que sale del magnetófono sin que se interrumpa la música (sólo bajando un poco de volumen).

VOZ.—«¡Conformidad... Conformidad... Compartimos su dolor... Gracias por venir a confiarnos su pena.» *(Entra el* SR. LINFA. *Es un hombre gordo cuidadosamente vestido. Se saca el abrigo. Va vestido de etiqueta. Sus ademanes están cargados de una falsa unción.)*

MANUEL.—¡Buenos días, señor Linfa!

LINFA.—*(Gozoso.)* ¡Ah! Usted también lo notó, ¿verdad? ¡Qué día extraordinario, Manuel!

MANUEL.—*(Distraído.)* No sé.

LINFA.—¿Qué no sabe?

MANUEL.—*(Mortecino.)* No sé si es un buen día.

LINFA.—*(Impaciente.)* ¿Por qué me lo dijo, entonces, al entrar?

MANUEL.—Por costumbre.

LINFA.—¡Ahí está lo malo! Usted es una persona llena de malas costumbres. No lo puede remediar. Hoy mismo, por ejemplo, tiene una cara lamentable. (LINFA *huele a su alrededor y se mira la suela de los zapatos.)* ¿Es insecticida, perfume o incienso lo que echó esta mañana?

MANUEL.—Los jueves toca perfume, señor Linfa.

LINFA.—*(Prestando atención.)* ¿Qué música es ésa?

MANUEL.—El Requiem de siempre.

LINFA.—Córtelo. No es el momento todavía. Los clientes no llegan tan temprano y usted no necesita a Mozart para quitar el polvo. (MANUEL *corta el magnetófono.* LINFA *inspecciona cuidadosamente el local. Este es un acto ritual que realiza a diario. Echa el aliento a los cristales de la calle y les pasa el pañuelo. Sacude las cortinas y estornuda. Inspecciona el escritorio.)* No hay rastros, ¿verdad?

MANUEL.—¿De qué? .

LINFA.—De la noche. La noche deja siempre un vaho viscoso.

MANUEL.—No. No hay rastros.

LINFA.—¿Todo está limpio?

MANUEL.—Purificado.
LINFA.—¿Nuevo una vez más?
MANUEL.—Recién nacido.
LINFA.—¿Ni una mancha siquiera?
MANUEL.—En estado de gracia.
LINFA.—¿Podemos iniciar entonces la jornada?
MANUEL.—Podemos.
LINFA.—¿Está listo?
MANUEL.—Sí, señor.
LINFA.—Empecemos, entonces... (LINFA *coge una campanilla que hay sobre el escritorio y la hace sonar.* MANUEL *se pone rígido instantáneamente. En forma perentoria.)* ¡Las manos! (MANUEL *se las muestra.)* ¡Las orejas! *(Lo mismo.)* ¡Los pies! (MANUEL *se saca un zapato.)* ¡Los dientes! (MANUEL *los muestra.* LINFA *los observa cuidadosamente.* MANUEL *se queda con la mueca fija aun cuando* LINFA *terminó su inspección.)* ¿De qué se ríe?
MANUEL.—No me río. Muestro los dientes.
LINFA.—¿Y no es lo mismo?
MANUEL.—No, señor.
LINFA.—¡Es el colmo! Olvidó afeitarse debajo de la barbilla. ¡Tiene tres pelos!
MANUEL.—Son congénitos.
LINFA.—¿Son qué?
MANUEL.—¡Congénitos! Herencia familiar, señor. Los tenía mi padre y mi abuelo. Tengo otros tres aquí en el pecho. *(Trata de abrirse la camisa para mostrarlos.)*
LINFA.—Asqueroso. Corte ese recuerdo familiar y procure cambiar de cara, porque la que ha sacado hoy no me sirve.
MANUEL.—Es que estoy preocupado, señor. ¡Tengo que pensar! Lo iba a hacer esta mañana, pero caminando por la calle me da vergüenza pensar.
LINFA.—Le prohíbo pensar hasta la una en punto. Está en el contrato.
MANUEL.—*(Como para sí.)* Si me pongo a pensar después de la una, quizá sea demasiado tarde.

(LINFA *ha abierto la puerta del local y mira hacia afuera con el aire satisfecho del propietario frente a su negocio. Una extraña sensualidad brota de él.)*

LINFA.—Mañana perfecta: nublada y sofocante. *(Respira hondo.)* El pavimento de las veredas huele todavía a orines y sudores nocturnos. El primer hollín de las chimeneas de calefacción hace desaparecer los cables eléctricos y las palomas... ¿Ha visto cómo gotea algo en la fachada de enfrente? El revoque se ha desprendido un poco más. Esa casa se está desmoronando cada día. Es reconfortante ver cómo las cosas se pudren inexorablemente. Cada grieta que descubro en las cosas me hace revivir. *(A alguien que pasa por la calle y no se ve.)* ¡Hombre, Aquiles!... No vayas tan deprisa. Tú corres todo el día. ¿Ya te has espabilado? ¿Se te pasó la mona?... *(Se ríe.)* Oye, Aquiles: si ves a Sebo, el trapero, dile que pase por aquí. *(Escucha.)* Gracias... ¡Y cuidado con andar pellizcando a las mujeres, Aquiles! *(Se ríe a carcajadas.) (A* MANUEL.) Es el mendigo que no tiene piernas. ¡Es maravilloso cómo se arrastra ese mutilado! ¿No cree?...

MANUEL.—No lo había pensado; pero lo pensaré después de la una en punto.

LINFA.—Manuel, la cabeza no es sólo para rascársela. *(Frotándose las manos, cuajadas de anillos.)* ¿Por qué uno se sentirá maravillosamente vivo en un día así? Mire..., las criadas entran los cubos de la basura, llenos de hedores extraños. En ellos han echado con pudor sus secretos más íntimos: las hojas de té usadas, los sobres vacíos de analgésicos, un envoltorio misterioso, algunas cáscaras y los últimos excrementos atornasolados del canario de la casa. Todo empieza a vivir y a morir en una mañana como ésta. Ya se abren las ventanas de los pisos y salen las bocanadas del aire viciado de la noche... ¿No lo percibe?... Es el aliento de los dormitorios, espeso de sueños y de malos deseos... *(Parece que* LINFA *ha visto a alguien conocido en la calle, porque se adelanta un poco y grita.)* ¡Ahí está ese adefesio! ¡Ven aquí, Sebo!... *(Aparece un hombre viejo y sucio vestido con harapos, pero llevados con gracia y cómica dignidad. A pesar de ir cubierto con andrajos increíbles, hay algo de insólito en sus ademanes de gran señor. Empuja un cochecito de niño lleno de trapos y de objetos absurdos. Llega hasta la puerta y entra por ella, siempre empujando el cochecito, sin dignarse contestar al saludo de* LINFA *ni mirar a nadie. Lleva terciada una guitarra viejísima.)* ¿Hoy no saludas a nadie?

SEBO.—Primero me gusta sacarme los guantes. *(Se saca con parsimonia unos guantes sucios rotos. Cada dedo le asoma por las roturas.)* Buenos días, señor Linfa. Hola, Manuel...

LINFA.—¡Qué hermosa mañana! ¿Verdad, Sebo?...

SEBO.—Para mí son siempre iguales. Huelen a ropa vieja.

LINFA.—Que es el mejor olorcillo del mundo... ¿Hoy no tienes nada nuevo para mí?...

SEBO.—Algo nuevo, no sé; pero algo viejo, con seguridad que sí. Voy a ver... (MANUEL *se ha acercado al cochecito de niño y lo toca con ternura.)*

MANUEL.—¿Cuesta mucho conseguir un cochecito así, Sebo?

SEBO.—No; es cosa de ir a un parque, acercarse a uno, sacar al crío, tirarlo al suelo y salir pitando con el coche.

MANUEL.—¡No, por Dios!

SEBO.—*(Riendo.)* Cuando nazca tu hijo lo pasearás en un cochecito nuevo, Manuel, y no en este cacharro.

LINFA.—*(Impaciente.)* ¿Hay algo o no?...

SEBO.—*(Sacando trapos del cochecito.)* ¡Trapos, papeles, mugre! ¡Eso es todo lo que la gente tira! Hace diez años que no encuentro un abrigo de pieles como Dios manda. (SEBO *saca ahora zapatos viejos del cochecito.)*

LINFA.—¿Sólo tienes zapatos? ¡Ah, no! Odio los zapatos usados. Se ponen rígidos y artríticos. Si uno quiere meter el pie, los siente tiesos y ácidos como bacalao.

SEBO.—*(Hurgando en el cochecito.)* Algo más tiene que haber por aquí. *(Sacando un vestido de mujer arrugado y viejo.)* Encontré esto en un paquete bajo el puente. Hacen desaparecer la ropa vieja como escondiendo algo vergonzoso.

(LINFA *sonríe feliz. Toma el vestido y lo mira por todos lados. Luego se abraza a él, improvisando unos pasos de baile.)*

LINFA.—Mmmmmm... Prostituta vieja, sentimental y descuidada... Caderas anchas..., brazos flacos...

MANUEL.—*(Como para sí.)* Pobre mujer.

SEBO.—¿Cómo sabe que era sentimental?

LINFA.—La forma en que se apega al cuerpo. Salta a la vista, Sebo. (LINFA *se ríe.* LINFA *saca del bolsillo del vestido un zapatito de bebé.)* ¿Y esto?... ¡Vaya la sorpresa que se traía la fulana! (SEBO *coge el vestido y se lo muestra a* LINFA.)

SEBO.—¿Quiere quedarse con él?

LINFA.—No; el zapatito de niño me infunde sospechas. Siempre los niños me han parecido sospechosos. (MANUEL *coge el zapatito y lo mira con ternura.)*

MANUEL.—*(A* SEBO.) ¿Puedo quedarme con él?

SEBO.—Es tuyo. Aunque podría haberle servido a un niño cojo. *(Ahora* SEBO *saca del cochecito un sombrero eclesiástico muy viejo. Se lo muestra a* LINFA.) ¿Le gusta?

(LINFA *lo coge y se lo pone y se mira en el espejo; luego cierra los ojos, concentrándose.)*

LINFA.—Ulceras.

SEBO.—¿Qué?...

LINFA.—Ulceras. Estoy seguro. Padecía de úlceras, era calvo, generoso y pobre como las ratas.

SEBO.—¿Quién?...

LINFA.—El difunto canónigo, dueño de esta bacinilla. (LINFA *le coloca el sombrero a* SEBO. SEBO *ha sacado unas colillas, elige cuidadosamente una y se pone a fumar. Ahora es el propio* LINFA *el que busca ropa vieja dentro del cochecito. Mientras va sacando ropas heterogéneas.)* Me gusta husmear en la bolsa de los que recogen desperdicios. Ver las ropas hinchadas que sus dueños han arrojado lejos de sí como un mal tumor. Me gusta imaginar los cuerpos que las han poseído. Por suerte, tú, Sebo, me dejas ver tus tesoros uno a uno... (LINFA *saca ahora del cochecito unos destrozados pantalones de soldado.)* ¡Oh, pantalones de soldado!... ¡Voy a probármelos! (LINFA *sale rápidamente hacia la sala de estar para deudos.)*

SEBO.—*(Gritándole.)* ¡No se haga ilusiones! Esos pantalones tienen su historia. (SEBO *se dirige ahora a* MANUEL, *que todavía tiene el zapatito en la mano.)* ¿Y tu mujer?... ¿Nada todavía?...

MANUEL.—Nada.

SEBO.—Está embarazada hace como dos años, me parece a mí.

MANUEL.—A mí también.

SEBO.—¿Cuándo va a soltar el chiquillo?

MANUEL.—No sé. Ahora es inminente, ¿sabes?... Puede ser esta noche o mañana; qué sé yo, puede ser en cualquier instante.

SEBO.—Y ella ¿cómo está?...

MANUEL.—Corriendo de un lado a otro; qué va a hacer... Buscando ropa, consiguiendo dinero; pero lo único que consigue es llegar cansada y con las manos vacías.

SEBO.—Que se ande con cuidado. El periódico decía el otro día que una parió cuando iba en bicicleta.

MANUEL.—Sí. No puede pasar de hoy que yo le pida un anticipo al señor Linfa.

SEBO.—¿Un anticipo? ¡Qué esperanza! Al señor Linfa no le interesan los alumbramientos, sino los fallecimientos, Manuel.

LINFA.—*(Regocijado.)* ¡Me aprietan, Sebo!... *(Aparece* LINFA. *Se ha puesto los pantalones de soldado, que le quedan muy estrechos. Se mueve apenas, porque parece que va a estallar. Conteniendo el aliento.)* ¿Cómo pudo vivir alguien dentro de una cosa así?...

SEBO.—Pudo vivir hasta el mes pasado. Se murió.

LINFA.—*(Conteniendo la respiración.)* ¿Asfixiado?

SEBO.—No. Atropellado.

LINFA.—Me los saco ahora mismo. A mí sólo me interesa la muerte natural.

SEBO.—*(Socarrón.)* La muerte por accidente no es contagiosa, señor Linfa...

LINFA.—En el futuro trata de no sacarle los pantalones a los soldados. Podría interpretarse mal. (LINFA *sale apresuradamente hacia la sala de estar para deudos.)*

MANUEL.—Sebo, ¿crees que resultará?...

SEBO.—¿El qué?

MANUEL.—El anticipo.

SEBO.—Nunca te resultará nada, Manuel.

MANUEL.—¿Por qué dices eso, Sebo?

SEBO.—Porque andas muy mal vestido.

MANUEL.—*(Recomponiéndose instintivamente la ropa.)* ¿De veras?

SEBO.—Mírate al espejo. *(Lo empuja hacia el espejo.)* ¿No te da pena?

MANUEL.—Un poco.

SEBO.—Oye, Manuel: cuando no se tiene dinero y, además, no se tiene gracia para vestir la ropa vieja, estás perdido. El dinero no me ha preocupado nunca; en cambio, saber llevar los andrajos, eso sí, me obsesiona. (SEBO *se pasea por el escenario como una modelo de modas.* MANUEL, *atento y asombrado.)* Hoy he escogido lo que podría llamarse un «conjunto para mañana deportiva». Ha sido necesario organizar cada prenda, una por una, como un rompecabezas, y es ahí, sólo ahí, donde se conoce si eres un talento o un don nadie. Lo primero fue encontrar el tono general. Para esta vez elegí el «color arena»...

LINFA.—*(Llamando desde afuera del escenario.)* ¡No me los puedo quitar, Sebo! (SEBO *no le hace caso.)*

SEBO.—*(Continuando su relato.)* Empecé por la camisa—siempre hay que empezar por la camisa—, y elegí ésta, color ceniza, que encontré en un cubo por ahí. Elegida la camisa, lo demás fue sencillo. La chaqueta, que me ha servido siempre para muchas combinaciones, se transformó con este clavel. Los pantalones tenían que ser claros, ¿verdad?... Mi verdadero problema fue el color de los calcetines; pero lo solucioné en forma radical. *(Se levanta el pantalón y muestra la pierna desnuda.)* ¡Color carne! Es una nota curiosa, ¿no?... *(Al desplazarse por el escenario cojea.)* ¡Ay! ¡Lástima que me apriete tanto este zapato! *(Se sienta en el suelo y se saca un zapato.)*

MANUEL.—Sebo, ¿dolerá mucho?

SEBO.—*(Con el zapato en la mano.)* ¿El qué?...

MANUEL.—Tener un niño.

SEBO.—Menos que un zapato apretado, digo yo.

MANUEL.—Por favor, Sebo; al pasar por mi casa pregunta por mi mujer y avísame cualquier cosa.

SEBO.—¡Hombre, no faltaba más!...

(Entra LINFA. *Le tira el pantalón de soldado en la cara a* SEBO.*)*

LINFA.—¡No me traigas más porquerías así!

SEBO.—Me han prometido el ajuar completo de un almirante recién fallecido. (LINFA *busca aún en el cochecito.)*

LINFA.—Sebo, canta algo para alegrar a Manuel. Con esa cara que tiene no se puede trabajar en una empresa de pompas fúnebres.

SEBO.—¿Te serviría de algo, Manuel?
MANUEL.—*(Sonriendo débilmente.)* Yo creo que sí.
SEBO.—Me gusta alegrar a la gente. *(Inicia un rasgueo en la guitarra y luego canta con voz aguardentosa y ronca. Canta muy serio.)*

Préstame el nicho, hermano,
que estoy muriendo,
que estoy muriendo.
La Parca me está llamando
desde el Infierno,
desde el Infierno.

Me dieron tres balazos
en Puente Duero,
en Puente Duero,
al volver de la boda
del primo Alberto,
del primo Alberto.

Por robarle la novia
del casamiento,
del casamiento,
el canalla del primo
me dejó tieso,
me dejó tieso.

Corre tus huesos, majo,
corre tus huesos,
que donde cabe uno
caben dos muertos,
caben dos muertos.

(LINFA *se ríe feliz.* MANUEL *no ha sonreído.* SEBO *se echa otra vez la guitarra a la espalda.)*
SEBO.—*(Mirando a* MANUEL.) Bueno, hice lo que pude, señor Linfa. Adiós... Buena suerte, Manuel...
(MANUEL *hace un gesto despidiéndose de* SEBO. SEBO *sale empujando su cochecito.* LINFA *recoge dos o tres prendas viejas que ha sacado del coche de* SEBO.)
LINFA.—¿No se ha puesto nunca, Manuel, unos pantalones que no le pertenecen, sintiendo que la tela no encuentra su horma habitual y los miembros de uno ensanchan, en cambio, partes hasta ahora inéditas?... ¡A mí me excita!
MANUEL.—A mí no, señor.
LINFA.—No le preguntaba si lo excita.

MANUEL.—¿Qué me preguntaba?
LINFA.—Nada. ¿No se ha puesto nunca ropa ajena?
MANUEL.—Me la he puesto. Para ser más exacto, me la pongo. Ahora mismo llevo un traje que no es mío. Lo compré de segunda mano. Lo odio.
LINFA.—Se le nota. No sabía que su traje era de segunda mano. Creía que era usted el que estaba usado; pero quizá sea la misma cosa. ¿Quiere prestarme sus pantalones para ponérmelos? Me gustaría sentirlos encima de mí.
MANUEL.—*(Tranquilo.)* No.
LINFA.—¿Por qué?
MANUEL.—Me siento enfermo.
LINFA.—Estoy inmunizado. Me vacuno siempre contra todas las pestes.
MANUEL.—No quiero quitarme los pantalones.
LINFA.—Es usted un enfermo egoísta; pero no conseguirá estropearme esta maravillosa mañana.
MANUEL.—No me siento bien.
LINFA.—Por favor, no vomite en el piso. ¿Se puede saber dónde se metió ayer?
MANUEL.—Fui al campo.
LINFA.—*(Horrorizado.)* ¿Al campo? ¿Es posible que haya caído tan bajo?
MANUEL.—Fui al campo con mi mujer y me tendí en la hierba. Quería sentir el sol en la cara...
LINFA.—Eso suena a pagano.
MANUEL.—Quería levantar una piedra y ver las hormigas correr debajo...
LINFA.—Absolutamente morboso.
MANUEL.—... y, con buena suerte, ver una flor.
LINFA.—Y agarró un catarro.
MANUEL.—No.
LINFA.—¿Y entonces?
MANUEL.—Era curioso. Estaba contento de estar allí: el olor a resina, la tierra agrietada por el sol; el humo, a lo lejos, subiendo sin prisa...; pero, a la vez, me sentía de más allí, sin saber qué hacer, como un animal feo en el zoológico. *(Mirando a su alrededor y bajando la voz.)* Aquí me pasa lo mismo.
LINFA.—Eso no explica nada. Vamos a ver... ¿Come bien?
MANUEL.—Como casi todos los días.
LINFA.—¿Fuma?
MANUEL.—A veces en el retrete o cuando no puedo dormir.
LINFA.—¿Duerme mal?
MANUEL.—Sueño.
LINFA.—¿Su mujer lo satisface?

MANUEL.—Es una buena mujer.
LINFA.—¿Tiene hijos?
MANUEL.—No.
LINFA.—¡Irresponsable!
MANUEL.—Pero voy a tener uno. Sobre eso quería hablarle, señor Linfa. Necesito urgentemente...
LINFA.—*(Interrumpiendo.)* ¡Irresponsable! No tiene hijos. Se olvida que debe procrear otros empleados para las pompas fúnebres. ¡Son indispensables! ¿Bebe alcohol?
MANUEL.—Si alguien convida...
LINFA.—Diagnóstico: crisis de mediocridad en naturaleza psicopática.
MANUEL.—Señor Linfa..., ¡necesito un anticipo!
LINFA.—¿Anticipo? *(Se ríe.)* No sé en qué puede gastar el dinero, Manuel...
MANUEL.—*(Con firmeza, después de una pausa.)* Mi mujer va a dar a luz.
LINFA.—*(Poniéndose serio.)* ¡Ah!..., eso. Se casan demasiado jóvenes. No pueden aguantar, y luego se cargan de hijos como conejos.
MANUEL.—El anticipo sería solamente...
LINFA.—*(Duro.)* ¡No hay tal anticipo! No puedo financiar yo sus lujos de dormitorio. Bastante tengo ya con los míos. ¡Arréglese solo como lo hace todo el mundo!

(Aproximándose, se escucha el pregón del vendedor de flores.)

VENDEDOR.—¡Flores..., flores..., flores para vivos y muertos!...
LINFA.—Tampoco tenía ninguna necesidad de ir al campo. Aquí viene la Naturaleza adentro de un canasto.

(Entra el vendedor de flores. Es un hombrecito pequeño y rechoncho, que viste una camisa de franela y un pantalón de pana. Carga un canasto lleno de flores.)

VENDEDOR.—Buenos días, señor Linfa. ¿Muchos encargos para hoy? (MANUEL, *al ver las flores, ha cambiado. Parece reanimado.)*
LINFA.—Pocos. Nos estamos civilizando. Es de mal gusto dejar pudrir esas malezas encima de los féretros.
VENDEDOR.—Lo que es yo, vendo cada día menos. Cuando regreso a casa tengo que poner flores hasta debajo de la cama. ¡Es terrible! Mi cuarto parece por las noches una capilla ardiente. Y lo peor de todo, ¿sabe usted qué es?...
LINFA.—¿Qué?
VENDEDOR.—Que no se comen. He hecho todos los intentos razonables, todas las combinaciones: jacintos a la vinagreta, claveles rebozados, tortilla de pensamientos y sopa de nardos... Nada. ¡Son incomibles!

MANUEL.—¿No has comido semillas de girasol?
VENDEDOR.—Los girasoles no sirven para nada. No se pueden poner en un florero ni en una tumba.
MANUEL.—Yo, a veces, las como.
VENDEDOR.—*(Burlón.)* Te va a salir un girasol en la barriga.
MANUEL.—¿Por qué no?... Me gustaría ser raíz de girasol.
LINFA.—Pero se termina por ser raíz de seta venenosa.
VENDEDOR.—En fin: esta pesadilla va a terminar para mí, porque voy a cambiar definitivamente de negocio.
LINFA.—¿Qué va a vender ahora?
VENDEDOR.—Flores.
LINFA.—Pero ¡si acaba de decir que no va a venderlas más!
VENDEDOR.—No. Dije que iba a cambiar de negocio. Voy a vender flores, pero en la nueva línea: el plástico. ¡Flores artificiales de polietileno!
LINFA.—*(Encantado.)* Esa es una idea excelente y práctica.
VENDEDOR.—Imagínese que los últimos modelos que fabrican se marchitan igual que las naturales.
LINFA.—*(Perplejo.)* Pero, entonces, ¿cuál es la diferencia? ¿En qué reside la ventaja?
VENDEDOR.—¡En que son comestibles!... Ahí está el secreto.
(MANUEL *se ha acercado al canasto, toma una de las flores y aspira su perfume.)*
MANUEL.—¿Y el perfume?...
LINFA.—¿Qué?...
VENDEDOR.—¿Qué dice?...
MANUEL.—*(Casi abstraído.)* ¿Y el perfume?
VENDEDOR.—¿Qué perfume?
MANUEL.—El de esta violeta, por ejemplo... ¿También lo tiene la de plástico?
VENDEDOR.—Claro que sí, pero con más variedad. Por ejemplo, a las violetas les ponen perfume de heliotropo. Dicen que es más fino.
LINFA.—¡Manuel, no sea nauseabundo! ¡No aspire las flores de los muertos! (MANUEL *deja la violeta.)*
VENDEDOR.—¿Cuáles son los encargos para hoy?
LINFA.—¡Manuel!
MANUEL.—*(Consultando una pequeña libreta.)* Dos: una corona pequeña para una gata malograda y cuatro kilos de rosas blancas para un perro guardián que murió ayer de insomnio.
VENDEDOR.—¡Qué raro!
LINFA.—¿Qué tiene de raro?
VENDEDOR.—Pedir tantas rosas blancas en vez de crisantemos.
LINFA.—Ese perro era un excéntrico, igual que su amo. Tuve que tomarle las medidas personalmente (al perro, quiero decir).

Sin contar con la contratación de los servicios religiosos, la impresión de las esquelas de luto y los recordatorios.

VENDEDOR.—Es un trabajo más complicado de lo que yo creía el de las pompas fúnebres para animales domésticos.

LINFA.—Pero lleno de compensaciones morales, querido amigo. Por otra parte, cada día las cosas se van simplificando. La incineración está arrasando las casas del ramo. Yo tengo algunas ánforas para cenizas; pero, aquí, entre nosotros, creo que eso es una falta de respeto.

VENDEDOR.—¿Y qué es lo que se respeta hoy en día, señor?

LINFA.—¡Fíjese lo que trae el periódico! *(Leyendo.)* «No volváis a enviar por correo las cenizas de vuestros difuntos; este método encierra peligros...», recomienda a sus fieles el canónigo Lindsay Eliot, pastor anglicano de Minnesotta. Entre los numerosos regalos de Navidad recibidos el año pasado, dicho pastor halló una caja de hojalata llena de un polvo grisáceo. Creyendo que se trataba de un nuevo detergente, dejó la caja en la cocina de su casa. Pocos días después recibió carta de uno de sus feligreses informándole que se trataba de las cenizas de su madre y rogándole las colocara en el panteón familiar. Desgraciadamente, el contenido de la cajita había sido utilizado... ¡Imagínese: fregar las ollas con su madre!

VENDEDOR.—Deberían prohibir estas cosas, creo yo.

LINFA.—Sin embargo, hay que estar con los tiempos y con la moda.

VENDEDOR.—Sobre todo, cuando es un buen negocio y siempre que la moda se mantenga.

LINFA.—Hasta ahora, afortunadamente, morirse ha sido una moda persistente.

VENDEDOR.—¿Dónde debo entregar las rosas y la corona?

LINFA.—Manuel le dará los datos.

(MANUEL *saca una tarjeta de un fichero y le da los datos al* VENDEDOR.)

MANUEL.—*(Bajando un poco la voz.)* Te quiero pedir un favor. Si mañana te sobran flores, no las dejes pudrir debajo de tu cama. Algunas me pueden servir para llevárselas a mi mujer, que va a dar a luz. Después de todo, pasado mañana tú vas a vender flores de plástico.

VENDEDOR.—Si me sobran, te las traeré. Hasta mañana, señor Linfa. *(Sale gritando:)* ¡Flores, flores..., flores frescas para vivos y muertos!...

(MANUEL *se ha quedado con la violeta en la mano y la vuelve a oler casi avergonzadamente.* LINFA *lo ve y se acerca a él.)*

LINFA.—Mi querido Manuel, sus pequeños vicios lo perderán. Para sobrevivir es necesario o tener grandes vicios—vicios que valgan la pena—o ser virtuoso. En esa forma es mucho más fácil saltar de un estado a otro. Ya ve: yo, que siempre he sido un hombre de grandes vicios, variados y encallecidos, esta mañana he decidido ser virtuoso. Créame, Manuel: en una mañana como ésta, cuando la ciudad despereza su cadáver con un bostezo, uno se siente más liviano y puro siendo un virtuoso. Por eso yo lo sobreviviré.

MANUEL.—*(Para sí.)* Sí, me sobrevivirá.

(Aparece GERTRUDIS. *Es una mujer de cuarenta años, muy elegante. Muy bien peinada y cubierta de joyas. Viste enteramente de negro. Un velo le cubre el rostro.*

Al verla, LINFA *cambia instantáneamente de expresión. Es ahora un señor digno, respetuoso del dolor ajeno, y habla con una voz grave, llena de dulzura y compasión.*

LINFA *le hace un gesto a* MANUEL, *y éste conecta rápidamente el magnetófono. Se empieza a oír la música de órgano, solemne y lúgubre.* LINFA *le abre la puerta, la toma con gentil solicitud de un brazo y la ayuda a sentarse en una silla. Todo esto con una unción casi religiosa y una conmiseración contenida.* GERTRUDIS *contiene sus sollozos con un pañuelo de encaje en forma digna y elegante.*

MANUEL, *indiferente, se sienta detrás del escritorio y afila un lápiz.* LINFA *guarda un largo y respetuoso silencio.* MANUEL *espera con cara perfectamente inexpresiva.*

GERTRUDIS *inicia un gesto como para decir algo.* LINFA *la interrumpe con un gesto de la mano.)*

LINFA.—Por favor, no diga nada. Comparto su dolor, querida señora, sea cual sea...

GERTRUDIS.—Gracias. *(Se suena.)*

(Largo silencio conmovedor.

Se oye a MANUEL *afilar el lápiz en la maquinita.* LINFA *lo fulmina con una mirada.* MANUEL *se da cuenta y se queda inmóvil.)*

LINFA.—A pesar de nuestro amor, inexorablemente llega el momento de separarse de ellos... *(Largo silencio conmovedor.)* Uno se siente más solo que nunca, ¿verdad?...

GERTRUDIS.—Sí. (GERTRUDIS *se levanta el velito del sombrero para sonarse ruidosamente. Un silencio.)*

LINFA.—*(Lírico.)* ¿Macho o hembra?...

GERTRUDIS.—Macho.

LINFA.—*(En voz baja.)* ¡Anote, Manuel! (MANUEL *toma nota de los datos que va suministrando* GERTRUDIS.) Uno se encariña más con los machos, ¿no es cierto? A mí me pasa eso. (GERTRUDIS *asiente con la cabeza.) (Con suma delicadeza.)* ¿Canario?

GERTRUDIS.—No.

LINFA.—¡Oh!... *(Un silencio.)* ¿Gatito?
GERTRUDIS.—No.
LINFA.—¡Oh!... *(Un silencio.)* ¿Conejo?...
GERTRUDIS.—No.
LINFA.—¡Oh!... *(Un silencio.)* ¿Leopardo?...
GERTRUDIS.—No.
LINFA.—¡Oh!... *(Un silencio.)* ¿Monito tití?
GERTRUDIS.—No.
LINFA.—¡Oh!... ¿Está segura?... ¡Oh, perdón! Pero es que no conozco otros animalitos domésticos.
GERTRUDIS.—¡Era todo para mí! Uno se apega a ellos casi sin darse cuenta. A mí siempre me despertaron una gran ternura los toros de lidia.
LINFA.—¿Los qué?...
GERTRUDIS.—Los toros de lidia. Aunque él era un caso especial, un verdadero toro de salón: pulcro, comedido. Se notaba que tenía clase, un verdadero miura.
LINFA.—No pensé que podría ser una buena compañía para nadie.
GERTRUDIS.—Me lo vendieron como semental; pero yo supe desde el primer momento que era un torito de salón. ¿Sabe?, tenía ese aire «indefinible» que caracteriza tan bien a los toros de buena familia, acostumbrados al roce social. ¿Cómo se lo podría definir... Era un...
MANUEL.—*(Tranquilamente.)* Capón.
GERTRUDIS.—¡Oh!
LINFA.—¡Manuel!
GERTRUDIS.—Me miró largamente antes de morir. Luego le crucé las patas sobre su vientre oscuro y le bajé los párpados.
LINFA.—Patético.
GERTRUDIS.—Debe haber sufrido mucho en esos momentos. Sabía que me dejaba sola. *(Ahoga un sollozo.)*
LINFA.—*(Grave.)* Pero ahora descansa en paz.
GERTRUDIS.—Gracias. Usted comprende a los animales.
LINFA.—Vivo de ellos, señora...
GERTRUDIS.—Llámeme Gertrudis.
LINFA.—*(Dulce.)* Gertrudis.
GERTRUDIS.—Quisiera que usted se encargara de todo.
LINFA.—Por supuesto. Trataremos de hacerle más llevadera su pena, Gertrudis... ¿Prefiere un servicio de primera, segunda o tercera?...
GERTRUDIS.—Algo sencillo, pero con dignidad.
LINFA.—Entonces, el de segunda. Incluye urna con tapa de cristal, acompañamiento de música sagrada el día de los funerales y bocadillos variados para los invitados a la ceremonia.

Están incluidos los impuestos de defunción, los impresos y el seguro contra accidentes del cadáver.

GERTRUDIS.—Sobre todo, ¡muchas flores! *(Nostálgica.)* A «Hipólito» le gustaba mucho comerlas.

LINFA.—¿«Hipólito»?

GERTRUDIS.—Así se llamaba.

LINFA.—¡Oh, lo siento!... Le voy a hacer algunas preguntas, Gertrudis. Es necesario cumplir con ciertas formalidades.

GERTRUDIS.—Comprendo.

LINFA.—¿Edad?

GERTRUDIS.—*(Molesta.)* ¿Qué tiene que ver mi edad?... Es una impertinencia.

LINFA.—¡Oh, no! Quise decir la de «Hipólito».

GERTRUDIS.—Siete años. ¡La flor de la edad en los toros de lidia!

LINFA.—¿Lugar de nacimiento?...

GERTRUDIS.—Nunca pude sacarle una palabra sobre eso.

LINFA.—¿Tiene algún certificado de defunción?

GERTRUDIS.—Sí, desde luego. *(Saca de un bolso un papel doblado. Se lo entrega a* LINFA. *Este, sin leerlo, se lo pasa a* MANUEL.) El siempre tuvo sus papeles en orden.

MANUEL.—Un accidente.

GERTRUDIS.—*(Haciendo pucheros.)* Sí... Fue encontrado en la calle. Vivo en un sexto piso, y la ventana estaba abierta.

LINFA.—¡Qué descuido fatal!

GERTRUDIS.—*(Disculpándose.)* Me seguía a todas partes, y ese día...

LINFA.—¡Fatalidad!

GERTRUDIS.—Al llegar a la calle tuve un presentimiento y miré hacia arriba. Lo vi asomarse, y juraría que quiso decirme algo.

LINFA.—¡Pudo haber caído encima de usted! Ese es el peligro del amor de madre. (GERTRUDIS *estalla repentinamente en sollozos.)* Por favor, Gertrudis...

GERTRUDIS.—¡No fue un accidente!... Nadie sabe nada. Ni la Policía.

LINFA.—¿Quiere decir que usted lo mató?... Debería haberse contentado con un toreo de salón; pero ¡clavarle la espada...! ¡Dios mío!

GERTRUDIS.—¡No diga tonterías!

LINFA.—¿Qué sucedió, entonces?...

GERTRUDIS.—*(Después de un silencio.)* Un suicidio.

LINFA.—¡Oh!... ¿Y por qué no usaría el gas?

GERTRUDIS.—Un día lo usó para inflar un globo.

LINFA.—¿Dejó alguna declaración?

GERTRUDIS.—No. Sólo es un presentimiento mío. Hacía tiempo que el pobre buscaba compensaciones para su soledad. Debe de ser muy terrible para un toro vivir con una solterona y mirar todo el día por una ventana.

LINFA.—*(Comprensivo.)* Es la angustiosa soledad de los toros, de la que han hablado tanto los escritores existencialistas.

MANUEL.—*(Con sus anotaciones.)* ¿Qué pongo?

LINFA.—Muerte casual premeditada.

GERTRUDIS.—Confío en usted para que todo se haga con discreción, dignidad y elegancia.

LINFA.—Pierda cuidado. Ahora, si le parece bien, podemos pasar a la sala de estar para deudos. Le mostraré los modelos de tarjetas-recordatorios. Se están llevando mucho los versículos bilingües. Son muy delicadas. Recuerde que la distracción es el comienzo de la conformidad.

GERTRUDIS.—Sí, debo sobreponerme. ¡Vamos!

(LINFA y GERTRUDIS *salen. Suena el teléfono.* MANUEL *atiende.)*

MANUEL.—*(Hablando por teléfono.)* Diga... Sí, lo que leyó en el periódico es verdad. Ofrecemos esos precios especiales solamente por este mes. Usted sabe, es el mes de los gatos, y ocurre que... *(Escucha.)* ¡Oh! Comprendo... Sí, claro, es lo que pasa... *(Entra* PITA. *Es una mujer muy elegante también. De luto riguroso. Está muy segura de sí misma. Su congoja es más contenida. Se ve una persona dominante.* MANUEL *no la ha visto, porque da la espalda a la puerta.)* Sí, sí, es la vida... A rey muerto, rey puesto... Hoy por ti, mañana por mí...

PITA.—*(Impaciente.)* ¿Me puede atender?...

MANUEL.—*(Creyendo que le habla la voz del teléfono y sin volverse.)* Por supuesto que podemos atenderla, pero tiene que venir aquí...

PITA.—¿A dónde?

MANUEL.—Aquí, al local... ¡No me haga perder el tiempo!

PITA.—¡Es usted el que me está haciendo perder el tiempo! Estoy en el local. ¿Dónde quiere que esté?...

MANUEL.—No sea ridícula. Está en el alambre del teléfono.

PITA.—*(Golpeándole en el hombro.)* ¡Cuelgue de una vez!

MANUEL.—*(Absolutamente desconcertado se vuelve hacia* PITA.*)* ¿Qué haces aquí?...

PITA.—Estoy esperando.

MANUEL.—*(Iluminándosele la cara.)* ¡Ah!... ¿Usted también?

PITA.—¿Qué?

MANUEL.—¿Está esperando?

PITA.—*(Sin comprender.)* Sí.

MANUEL.—*(Confidencial.)* Lo de mi mujer es inminente. Estoy preocupado. Me han dicho que hay quienes dan a luz andando en bicicleta.

PITA.—No entiendo nada.

MANUEL.—¿Cómo se siente cuando está así?
PITA.—¿Cuando se está cómo?
MANUEL.—Embarazada.
PITA.—*(Horrorizada.)* No lo sé. Soy virgen.
MANUEL.—¿Y qué está esperando entonces?
PITA.—¡Grosero!
MANUEL.—¡Cálmese, por favor! Ahora soy yo el que no entiende nada.
PITA.—No me extraña. Parece un retrasado. ¡Soy una cliente!... ¿Es muy difícil comprender esto?
MANUEL.—¿Qué desea?
PITA.—*(Con dolorosa dignidad.)* Darle honrosa sepultura.
MANUEL.—¡Ah! ¿Viene por los servicios fúnebres?
PITA.—Naturalmente.
MANUEL.—¿Completo o sencillo?
PITA.—Explíquese.
MANUEL.—El completo incluye torta, vino de la casa y un puro.
PITA.—Entonces el completo.
MANUEL.—Muy bien. Aquí tiene las servilletas... Quiero decir el folleto explicativo.
PITA.—Gracias.
MANUEL.—¿Nombre?...
PITA.—¿De quién?
MANUEL.—De usted y del difunto.
PITA.—A mí me llaman Pita. Ella, la pobre, se llamaba Irene Mardones Valderrama.
MANUEL.—¿Muerte natural?
PITA.—Nunca la muerte es algo natural.
MANUEL.—¿Qué clase de animal era Irene Mardones Valderrama?
PITA.—Pecosa y esbelta como todas las jirafas.
MANUEL.—*(Asombrado.)* ¡Jirafa! Es la primera vez que oigo...
PITA.—Yo no. Es la tercera vez que tengo una. Se me mueren jóvenes.

(MANUEL *se pasa la mano por la frente como si le doliera la cabeza. Se toma rápidamente otra pastilla con un sorbo de agua.)*

MANUEL.—Me temo, señorita Pita, que no tengamos un modelo de féretro para jirafa. Póngase en nuestro lugar. No podemos tener modelos tan excepcionales.
PITA.—Creí que era una buena casa del ramo.
MANUEL.—Ese es un rumor que ha echado a correr el señor Linfa.
PITA.—*(Insistiendo.)* El «Boletín Mensual» que me envía por correo la Junta Nacional Veterinaria aseguraba que hay una solución para *todos* los casos.

MANUEL.—Pero nosotros...

PITA.—Tengo los catálogos y sé lo que digo. Ustedes tienen un modelito de urna en cedro del Líbano que me vuelve loca.

MANUEL.—¡Ah, sí! La diseñó personalmente el señor Linfa.

PITA.—¿Es realmente del Líbano?

MANUEL.—No, el señor Linfa nació aquí.

PITA.—Quiero decir el cedro.

MANUEL.—Siempre me he hecho esa pregunta.

PITA.—En todo caso el modelo no sirve. Una tarde que Irene estaba de buen humor se lo probé y le quedaba chico.

MANUEL.—Es lo que yo le digo. Ese modelito fue diseñado para las cigüeñas que mueren de parto, pero una jirafa es otra cosa. ¿Cuánto medía?

PITA.—Tenía tres años y medio y ya medía cuatro metros sesenta, sin tacones.

MANUEL.—¡Es imposible! No podemos ofrecerle nada de ese tamaño... Aunque, espere, tal vez habría una solución.

PITA.—¿Cuál?

MANUEL.—Dividirlo en dos.

PITA.—¿El féretro?

MANUEL.—No, al difunto. (PITA *lanza una exclamación ahogada.*) Serían dos pedazos de dos metros. Tendría la ventaja que se podrían hacer dos funerales. ¡Son tan emocionantes esas ceremonias!

PITA.—*(Horrorizada.)* ¡Cortar a la pobre Irene Mardones Valderrama!... ¿Se ha vuelto loco?

MANUEL.—Sería una operación prácticamente indolora, ya que la jirafa está muerta.

PITA.—*(Más horrorizada aún.)* ¡Cállese! ¡No hable más de eso!

MANUEL.—Le aseguro que es la única solución: trinchar al animalito. Una vez lo hicimos con un ciervo cornudo. Colocamos las dos cajas en nichos separados. Tuvimos que grabar dos epitafios: uno para los cuernos y otro para las patas.

PITA.—*(Al borde de la histeria.)* No puedo soportar que hable de eso. ¡No puedo aguantar la idea de ese largo cuello tronchado!... ¡Sádico!... ¡Sádico!

MANUEL.—Nuestro servicio incluye el corte.

(PITA *se pone a gritar en forma histérica, sosteniendo el grito como si fuera una soprano de opera. Se ve a* MANUEL *que habla, pero no se le oye absolutamente nada porque sus palabras son cubiertas por el grito sostenido. Entra* LINFA *asustado. Se ve que habla con* MANUEL, *haciendo muchos gestos, pero tampoco se le oye nada porque el grito continúa. Cuando se corta el grito para respirar se escuchan los fragmentos de las palabras de* LINFA.)

LINFA.—... ya le he dicho que hay que consolar al cliente... ¿Se puede saber qué le dijo?... *(Sigue ahora el grito.* LINFA *deja de oírse. Nuevamente el grito se interrumpe para respirar.* LINFA *le da una bofetada a* PITA. PITA *cae sobre una silla entre asombrada y aturdida.* LINFA *muy exquisito.)* Comprendo su dolor y lo comparto. El corazón dolorido es como un vaso que se rompe al menor golpe. Como decía el profeta Jeremías... (PITA *está alelada y con la mirada fija.* LINFA *corta la música sagrada. Un larguísimo silencio embarazoso.* LINFA *espantado.)* ¿Qué pasó?... *(Un silencio.)* Diga algo, Manuel..., cualquier cosa, pero diga algo...

MANUEL.—*(Mecánicamente y sin ninguna expresión.)* Me dijo... Le dije..., servicio de primera, de segunda, de tercera, de cuarta... No señor, sí señor... Pase por aquí..., pase por allá... Patatín..., patatán... Este dedito compró un huevito..., éste le echó la sal, éste lo fue a enterrar...

LINFA.—¡Basta! Gracias, no hable más.

PITA.—*(Furiosa y reaccionando poco a poco.)* ¡Se atrevió a tocar a Irene Mardones Valderrama!

LINFA.—¿Cómo?

PITA.—Hizo sugerencias obscenas.

LINFA.—*(A* MANUEL.) ¿Usted?

PITA.—Sí, quería cortarle el cuello en dos pedazos para hacer dos ataúdes y poder cobrar más.

LINFA.—*(A* PITA.) Señorita Mardones Valderrama, nosotros no nos encargamos de los sepelios de seres humanos.

PITA.—*(Escandalizada.)* ¡No enlode la memoria de un muerto!

LINFA.—No ha sido mi intención.

PITA.—No era un ser humano, gracias a Dios... ¡Era una jirafa!

MANUEL.—La señorita Mardones Valderrama es la difunta.

LINFA.—¡Oh, qué torpe ha sido Manuel! ¿Cómo no ha sabido darle en el gusto?... Es verdad que no tenemos en este momento urnas para jirafas, pero podemos mandarle a hacer una, pintada a manchones como la delicada piel de esos animalitos.

PITA.—¡Oh, qué idea excelente! Una caja pecosa para mi pobre Irene.

LINFA.—Tengo precisamente un modelo forrado en cuero de niño. Algo sobrio y cálido a la vez.

PITA.—Lo que Irene hubiera querido.

LINFA.—Le mostraré algunas fotografías de nuestros últimos servicios y honras fúnebres. Comprobará nuestra categoría y sentido de la responsabilidad... (MANUEL *baja una pantalla de proyecciones.* LINFA *hace funcionar un proyector automático de diapositivas. Las diapositivas serán en blanco y negro, se muestran diapositivas de enormes multitudes.)* Este es el aspecto que presentaban las calles el día que enterramos a Ludmila, la gallina mártir... *(Un orador hablando frente a otra multitud.)* Ese soy yo, salí desfavorecido, haciendo uso de la palabra en el cementerio, en el entierro de Sócrates, un oso que pasó sus últimos años en silla de ruedas... *(Se muestra la fotografía de un cohete espacial en el momento de ponerse en órbita.)* Este es el momento de poner en órbita este modelo ultra moderno de ataúd para la perrita rusa «Katia»... *(Ahora se muestra una cantidad de maquinarias complicadísimas. Una fábrica que no se note bien de qué es.)* Nuestros talleres de urnas de aluminio climatizadas... *(Ahora una increíble cantidad de cajas de aluminio, tarros y envases diversos.)* El material utilizado en el último mes antes de partir a su piadoso destino. *(La fotografía de unos edificios muy geométricos con fachadas cuadriculadas. Por supuesto no se ve a nadie.)* Los nichos del cementerio... *(Se apaga el proyector. Se levanta la pantalla.)*

PITA.—Es impresionante y reconfortante a la vez.

LINFA.—Estamos a su disposición.

PITA.—Gracias.

(PITA *se despide de* LINFA. LINFA *la va a dejar a la puerta.)*

VOZ DE GERTRUDIS.—*(Desde el interior.)* ¡Señor Linfa!...

LINFA.—¡Ahora mismo estoy con usted!

(LINFA *se apresura a entrar nuevamente en la sala de estar para deudos.* MANUEL *está sentado con la cabeza hacia atrás apoyada en la pared. Parece enfermo. Tiene algún estremecimiento.*

Lo que sigue debe ser una mezcla, a veces cansada a veces delirante, de fragmentos del trabajo rutinario y las propias ensoñaciones de MANUEL. *Unas veces habla* MANUEL *y en otras se escucha su voz grabada en el magnetófono.)*

MANUEL.—Irene Mardones Valderrama, un alma solitaria. Murió rodeada del consuelo de los suyos... Sólo una corona simbólica, por favor... Nada de flores, nada de flores...

VOZ DE MANUEL.—Cuando me senté en el campo vi tres flores blancas... ¿Cómo se puede ser tan pequeño, tan delicado y tan blanco?... Habían sido pisadas. La hierba se veía pisada a su alrededor... Y, sin embargo, seguían derechas y blancas. *(Desde adentro se oyen carcajadas de* GERTRUDIS.)

MANUEL.—Servicio completo, señores, servicio completo... Hay féretros simples con paneles impermeables o de lujo con ornamentación etrusca y cabina altimática. También tenemos el simple envoltorio de plástico, pero eso es en las Pompas Fúnebres de los barrios bajos. Fértil ceremonia con música e incienso para un toro de lidia en la flor de la edad... La flor de la edad... Ahora hay toros de lidia con perfume de heliotropo...

VOZ DE MANUEL.—Sentados en la hierba. El sol quemaba. Mi mujer dice que siente al niño dentro de ella... ¡Ven, tócalo!..., me dice. ¡Pon la mano en mi vientre!... Se escuchaba vivir, estoy seguro... Hojas secas..., olor a almendras... Yo rompí con los dientes la semilla de girasol y miré la blanca semilla escondida... *(Desde adentro se oyen carcajadas de* LINFA.)

MANUEL.—¿Lápida o mausoleo?... Con impuestos incluido, sin recargo..., sin recargo... No es un lujo, señor Linfa. No quiero ser una carga... ¡Pero lo necesito urgentemente!

VOZ DE MANUEL.—¡No hay anticipo! ¡No hay vacantes! Los nichos están completos... Claro, se llenan de hijos como conejos... *(Risas de* LINFA *y* GERTRUDIS.)

MANUEL.—¡Puede ser en cualquier momento!... ¡Es urgente!...

VOZ DE MANUEL.—La semilla creciendo..., creciendo..., creciendo... ¿Perrita?..., ¿cebra?..., ¿paloma?..., ¿gorila?...

MANUEL.—¡No, no, no!... ¡Es un niño!... ¡Un niño!... *(Carcajadas de* LINFA.)

VOZ DE MANUEL.—Un nuevo modelito forrado en cuero de niño... ¡Debes procrear más empleados para las Pompas Fúnebres!... Son indispensables... Más empleados... ¡Más empleados! Ja, ja, ja, ja...

(MANUEL *se tapa la cara con las manos.*

Desde el interior llegan las risas casi obscenas de LINFA *y* GERTRUDIS. *Aparece* LINFA, *muy serio ahora, acompañando a* GERTRUDIS *que ha recuperado su expresión afligida y sus ademanes de viuda de guerra.* LINFA *la acompaña en silencio y se despide de ella en la puerta.* GERTRUDIS *sale.*

LINFA *va hacia adentro nuevamente y al pasar le dice a* MANUEL):

LINFA.—¡Torpe, más que torpe!... Puso histérica a una cliente. Nunca sabrá tratar a las mujeres como yo.

(Desaparece. Se empieza a escuchar, muy lejana, pero cada vez más próxima, la música del desfile de un circo.

MANUEL *se ha quitado las manos de la cara. Ahora se levanta y va hacia los cristales que dan a la calle. Mira hacia un costado de la calle por donde parece venir el desfile del circo.*

La música se escucha muy fuerte. La cabeza de MANUEL *gira siguiendo el desfile que pasa frente a su ventana. Pasa ahora frente a el y se empieza a alejar.)*

MANUEL.—Payasos, ilusionistas..., bailarines de la cuerda floja..., animales amaestrados..., contorsionistas, domadores..., enanos... El gran circo...

(Ha entrado el señor LINFA. *Se para en silencio detrás de* MANUEL *y guarda un momento de silencio.*

LINFA.—¡Debería lavarse esa camisa por lo menos una vez al mes! Parece que tuviera musgo.

(LINFA *le habla siempre a* MANUEL *por detrás, sin que éste se vuelva.)*

LINFA.—Parece no darse cuenta que trabaja en la tienda más prestigiosa para animales domésticos ni lo que esto significa. En fin, seré nuevamente benévolo con usted.

(Es ahora cuando MANUEL *se vuelve muy lentamente hacia* LINFA. *Su expresión es intensa, pero contenida al mismo tiempo. No grita.)*

MANUEL.—El señor Linfa ama a los pobres animalitos, lo que no le impide llevar zapatos de cuero de ante, cartera de becerro, guantes de piel de conejo y una pluma de canario en el sombrero. ¡Ah!, pero hoy el señor Linfa ha decidido ser virtuoso, servir a un Dios que es su propio vientre satisfecho. Va a ser nuevamente benévolo. El señor Linfa se equivoca. No necesita ser generoso porque esta vez... ¡Me voy!

LINFA.—*(Atónito.)* ¿A dónde?

MANUEL.—*(Casi sonriente.)* Voy a intervenir en el desfile.

LINFA.—¿Qué desfile? No ha pasado nada por aquí.

(Aún se escucha lejana la música del desfile del circo.)

MANUEL.—*(Acercándose a los cristales.)* Sí, el desfile... El circo ha pasado por delante mío, ahí afuera. Yo podía sacar la mano y sentirlo palpitar y hacer sus piruetas, podía escuchar su música, pero he cerrado la puerta y he estado aquí, detrás, siempre detrás del cristal, viendo pasar el desfile... ¡Hoy voy a entrar también en el desfile!

LINFA.—*(Fuera de sí.)* ¡Está despedido!

MANUEL.—¿Oye?... Es la gente. Se ríen... Están vivos.

LINFA.—No oigo nada..., nada.

MANUEL.—No la oirá nunca... *(Con tono perentorio.)* ¡Abrame la puerta! (LINFA, *a pesar suyo, se la abre.* MANUEL *cruza el umbral.)* ¡A mí me toca esta vez!...

(MANUEL *respira hondo. Sonríe. Camina hacia uno de los laterales con paso lento, pero animoso y decidido. Ya no hay vacilaciones en su expresión general.*

Casi al salir del escenario, en el costado derecho, se lleva una mano al corazón y en forma muy lenta, lentísima, se dobla sobre sí mismo hasta quedar un momento hecho un nudo en cuclillas, en la clásica posición fetal. Luego de un instante en esta posición, cae pesadamente hacia un lado. Todo este movimiento ha sido muy lento (no debe temerse hacer algo poco naturalista porque no se trata de una muerte realista).

LINFA, *espantado, mira con las manos pegadas al cristal ima-*

ginario de su negocio. Desde lejos se escucha la voz de SEBO *que grita.)*

SEBO.—¡Manuel..., Manuel!...

(Aparace SEBO *corriendo y con expresión alegre y excitada.* SEBO *casi tropieza con el cuerpo. Se queda inmóvil, asombrado y mudo.)*

LINFA.—¿Qué pasó?... (SEBO *se arrodilla. Toma la cabeza de* MANUEL *y la deja caer. Luego se pone lentamente de pie y se saca la gorra grasienta. Repite.)* ¿Qué pasó?...

SEBO.—Manuel tiene un hijo.

(Las cortinas se cierran lentamente.)

FIN DEL PRIMER ACTO

SEGUNDO ACTO

El mismo local de la *Empresa de Pompas Fúnebres «Conformidad Ltda.»* en que se desarrolla el primer acto.

Por la tarde, dos días después. LINFA está sentado detrás del escritorio. Interroga a un muchacho que está parado frente a él en actitud tímida. El actor que representa a este muchacho es el mismo que interpretaba a MANUEL, pero ahora sólo aparenta unos dieciocho años, en cambio, en el primer acto MANUEL aparentaba tener unos treinta y cinco años. LINFA interrumpirá metódicamente cada parlamento del muchacho de manera tal que siempre se pierden las últimas palabras de los parlamentos del muchacho.

LINFA.—Ya sé que me vas a mentir, pero sólo te pido que lo hagas con aplomo y seguridad para quedarme tranquilo.
MUCHACHO.—Haré lo posible, señor (LINFA *se aplica a cada lado de la nariz un tubito para inhalaciones.)*
LINFA.—¿Sueñas?
MUCHACHO.—No, señor, yo procuro...
LINFA.—*(Interrumpiendo cada vez.)* ¿Te emborrachas?
MUCHACHO.—No, señor. Cuando quiero...
LINFA.—¿Escribes en las paredes de los retretes públicos?
MUCHACHO.—Sí, señor, siempre que...
LINFA.—¿Sabes leer?
MUCHACHO.—No, señor, cómo se le puede ocurrir...
LINFA.—¿Te parezco estúpido?
MUCHACHO.—Sí, señor, tiene una cara...

LINFA.—Hasta ahora todo es perfectamente normal, pero temo que me estés ocultando algo... ¿Sabes escribir los números?
MUCHACHO.—A máquina solamente. Una vez...
LINFA.—¿Cualquier tipo de máquina?
MUCHACHO.—Sólo en las calculadoras portátiles, señor, pero yo creo...
LINFA.—En fin, eso ya es algo, aunque lo único realmente importante es esto: «¿Estás seguro de que no te has muerto nunca?...»
MUCHACHO.—Estoy seguro, señor. Además, yo...
LINFA.—Otra porquería como la que me pasó con Manuel no la aguanto. ¡Ya está bien! Que se suicidara de vez en cuando como todo el mundo, vaya y pase, pero morirse a la puerta de alguien es como vomitar en el mantel del que te ha invitado a comer. Se puso impertinente, salió a la calle y cayó fulminado. Siempre inoportuno. El sabía perfectamente el horror que yo le tengo a la muerte... ¿Qué edad tienes?
MUCHACHO.—Dieciocho años. El mes que viene yo...
LINFA.—Vas a tener que aumentarte la edad porque a mí no me gusta emplear a nadie con menos de veinticinco años. ¿Qué edad tienes?...
MUCHACHO.—Veinticinco años.
LINFA.—Muy bien. ¿Has servido alguna vez en empresas de Pompas Fúnebres?
MUCHACHO.—No, señor, pero yo...
LINFA.—Todo consiste fundamentalmente en un poco de psicología y adaptación a las circunstancias. Yo estoy extraordinariamente dotado para eso, en cambio tú eres un imbécil, sin embargo, te daré algunas instrucciones: por ejemplo, si alguien acude a nosotros por una gatita muerta, yo le ronroneo y me froto contra el deudo hasta dejarlo feliz. Generalmente terminan por rascarme el lomo. Si se trata de una pantera amaestrada la muerta, me acerco a saltos y con juguetona gracia, le araño la cara a manotazos. El cliente se entrega inmediatamente. Algunos lloran. Por supuesto, hay casos más difíciles. El otro día vino un señor a enterrar un galgo. Yo, naturalmente, haciéndome cargo inmediatamente de la situación, me puse a lengüetearlo activamente. Se puso furioso. Claro, era un insensible, pero, por lo general, da buenos resultados. Dime, ¿qué quieres llegar a ser cuando seas mayor?
MUCHACHO.—Mayor.
LINFA.—Quiero decir, hacer qué cosas.
MUCHACHO.—Cosas.
LINFA.—¿Eres honrado?
MUCHACHO.—Oh, señor, desde luego. Nunca yo he...

LINFA.—Eso sí, grábatelo bien en la cabeza, no permito que mis empleados se lleven urnas debajo de la chaqueta al regresar a sus casas y tengo estrictamente prohibido hacer muecas en el espejo del lavabo y grabar corazones en el escritorio. ¿Sudas de los pies?

MUCHACHO.—No sé, señor.

LINFA.—Tuve un dependiente que se le hinchaban los pies a fin de mes. Absolutamente desconcertante. Me enervaba ver sus inmensos zapatos salir por debajo de la mesa. ¿A qué te dedicabas antes de venir aquí?

MUCHACHO.—Labores del sexo, señor.

LINFA.—¿Sabes exactamente lo que tienes que hacer?

MUCHACHO.—Sí, señor.

LINFA.—Te leeré nuevamente el anuncio que publico hoy en el periódico porque eres tan idiota que a lo mejor te has confundido de anuncio. (LINFA *saca un recorte de periódico y lee.)* «Como dependiente y colaborador íntimo se necesita hombre joven que quiera salir de la mediocridad. Porvenir asegurado. Indispensable presentar recomendaciones. Sus obligaciones serán: llevar la contabilidad, abrir los botes de leche condensada y pronunciar los elogios fúnebres. Se exige un gran dominio de la máquina de escribir y la bayeta...» Para no hacer más caro el anuncio no especifiqué: limpiar los cristales, golpear a los competidores del ramo, hacer guardia nocturna y, sobre todo, sonreír, sonreír siempre. Si no puedes sonreír, no me sirves. ¡Haz la prueba!

MUCHACHO.—¿Qué dice?

LINFA.—Sonríe. *(El muchacho esboza una sonrisa.)* Estoy esperando...

MUCHACHO.—Ya sonreí.

LINFA.—Ah, eso... ¿Tienes un tic nervioso? ¡Vamos sonríe con alegría! Piensa en algo alegre.

MUCHACHO.—No se me ocurre nada.

LINFA.—Piensa en algo que te haga feliz, que te haga sonreír. *(Un silencio. El* MUCHACHO *piensa.)*

MUCHACHO.—¡Ah, ya sé!... ¡La bicicleta de mi primo! Está niquelada. *(Sonríe ampliamente.)*

LINFA.—Muy bien. Desde hoy te ordeno que pienses todo el día nada más que en la bicicleta. Así sonreirás... ¿Cómo te sientes?

MUCHACHO.—*(Con la mirada fija, perdida y sin dejar de sonreír.)* Niquelado.

LINFA.—¿Qué estás diciendo? Supongo que no sufres alucinaciones hereditarias... ¿Cómo era tu padre?

MUCHACHO.—*(Con la misma expresión en la cara.)* Modelo liviano, de carrera, señor.

LINFA.—¿En qué estás pensando?

MUCHACHO.—En la bicicleta, señor.

LINFA.—¡Basta! Trata de no ser feliz durante un rato y escúchame: no todos tienen la suerte que tienes tú. Empezar en una tienda de lujo. Yo, a los trece años empecé en una funeraria vistiendo cadáveres a duro la docena. Me acostumbré a hacerlo con los ojos cerrados, así evitaba mirarlos. ¡Pero no podía dejar de sentir su olor! Conocí la triste forma en que mueren los hombres. Una vez vestí a un diplomático que acababa de fallecer. Tuve que ponerle guantes blancos en sus manos rígidas. Cuando logré abrirle la mano derecha agarrotada, ¿sabes qué encontré en su palma?

MUCHACHO.—¿Un crucifijo?

LINFA.—No, un espejo.

MUCHACHO.—¿Un espejo?... ¿Para qué?

LINFA.—Para mirarse en él.

MUCHACHO.—Y usted, ¿qué hizo?...

LINFA.—Me miré yo en el espejo y me di cuenta que ya no era un joven y que estaba perdiendo el tiempo con todos esos cadáveres. Me fui. Un día cualquiera tropecé con un gorrión muerto. Nunca se me había ocurrido que los gorriones se murieran, ¡pero se mueren! Gracias a él descubrí a los animales y me encontré a mí mismo. Claro, tú no tienes mi espíritu de empresa. No llegarás tan lejos, pero tendrás muchas cosas que aprender. Aprenderás a aguzar los sentidos frente a la muerte y gozarás con el ritmo acompasado de la descomposición que hace avanzar al mundo. ¿Has visto pasar el desfile de un circo alguna vez?...

MUCHACHO.—No, señor.

LINFA.—Mejor. Por el momento empieza a pensar en la bicicleta y sonríe. *(El* MUCHACHO *sonríe mirando fijamente hacia adelante.)* Ah, olvidaba preguntarte cómo te llamas...

MUCHACHO.—Manuel.

LINFA.—*(Sobresaltado.)* ¿Qué dices?

MUCHACHO.—*(Siempre con la mirada fija y sonriendo.)* Manuel.

(LINFA *lo mira asombrado y desconcertado. En ese momento aparece* SEBO. *Ya no empuja el cochecito. Lleva un paquete debajo del brazo. Se detiene un momento en el mismo lugar en que cayó* MANUEL. SEBO *mira el suelo como si aún estuviera* MANUEL *tirado.* LINFA *se adelanta hacia la puerta.)*

LINFA.—*(A* SEBO.*)* ¿Qué miras?... (SEBO *entra. Deja el paquete sobre el escritorio y mira muy extrañado al* MUCHACHO, *que sigue como hipnotizado pensado en la bicicleta.* SEBO *se saca los guantes antes de responder.)* ¿Lo conseguiste?...

SEBO.—Sí.

LINFA.—¿Completo?

SEBO.—Completo.
LINFA.—¿Caro?
SEBO.—No. Se lo cambié por dos pañales usados y el cochecito viejo. *(Mirando al ayudante.)* ¿Quién es este bicho?
LINFA.—El nuevo dependiente.
SEBO.—¿Por qué se ríe como un idiota?
LINFA.—Está imaginando que es feliz. (LINFA *abre el paquete con cierta nerviosidad y va sacando la ropa que usaba* MANUEL *en el primer acto. Tiene ahora en las manos los pantalones negros. Ajados y lustrosos.)* A Manuel nunca le quedaron bien. No sabía apreciarlos tampoco. ¿Tú crees que usaba cinturón o tirantes?
SEBO.—¿Quién?
LINFA.—El verdadero propietario, el que le vendió este traje a Manuel de segunda mano.
SEBO.—Yo creo que esos pantalones nunca tuvieron propietario.
LINFA.—Por supuesto que lo tuvieron y zurdo para mayores detalles.
SEBO.—¿Cómo lo sabe?
LINFA.—Por las asentaderas. Las de los zurdos son inconfundibles.

(SEBO *le entrega la chaqueta de* MANUEL *a* LINFA. *Este le entrega el pantalón al ayudante, el cual lo coloca cuidadosamente en el respaldo de la silla.)*

SEBO.—Es una buena chaqueta, aunque tiene la triste deformación de Manuel.
LINFA.—Me la probaré. *(Se saca la propia ayudado por el* MUCHACHO *y se pone la de* MANUEL, *que, naturalmente, le queda pequeña. Mientras se la pone.)* En el forro de un traje usado se puede leer como en las líneas de la mano. No logro imaginarme la visión del mundo que podría tener Manuel enfundado en esta chaqueta.

(LINFA *ha metido las manos en los bolsillos. De uno de ellos saca algo y lo mira extrañado.)*

SEBO.—¡El zapatito de niño que traje ayer! ¿Por qué lo llevaría consigo Manuel?
LINFA.—Tenía ideas fijas. Si no recuerdo mal, me habló confusamente de un niño que iba a nacer. *(Ahora* LINFA *saca algo más del bolsillo.)*
SEBO.—¿Qué es eso?
LINFA.—Semillas de girasol.
SEBO.—No entiendo.
LINFA.—Las comía. Yo creo que son tóxicas.
SEBO.—Me gustaría saber de qué murió Manuel.
LINFA.—No lo sé. Los médicos dijeron que no comía hacía tres días. En eso siempre fue un «snob».

SEBO.—¿Nada más?

LINFA.—Hablaron de fatiga y otras pamplinas. La verdad es que mostraba signos inequívocos de degeneración: fumaba en el retrete, se había casado y llevaba el cuello sucio, es decir, los síntomas indudables de haber perdido toda dignidad Y cuando se ha perdido la dignidad siempre se termina muriendo.

SEBO.—¿De manera que nunca sabremos por qué murió?

LINFA.—No.

SEBO.—¿Y si lo preguntáramos?

LINFA.—¿A quién?

SEBO.—A Manuel.

LINFA.—¿Te has vuelto loco?

SEBO.—No. Si queremos podemos hablar con él.

LINFA.—¿Qué quieres decir?

SEBO.—Yo puedo invocar a los espíritus. Tengo cualidades de médium. Me las descubrió en la cárcel una quiromántica tísica.

LINFA.—*(Sacándose la chaqueta.)* Es mejor dejar a los espíritus en su cochina salsa.

MUCHACHO.—*(Rogando.)* ¡Hagámoslo, señor Linfa! Es emocionante ¡No se asuste que no pasará nada!

LINFA.—¿Quién se asusta, idiota? ¡Valiente insecto!

SEBO.—Hablar con las ánimas es casi un deber de caridad, señor Linfa. Las pobres se aburren terriblemente.

LINFA.—¿Por qué supones que creo en las ánimas? Tendría que empezar por creer que tú tienes un alma debajo de los piojos.

SEBO.—*(Un poco picado.)* ¿Por qué les tiene miedo entonces?

LINFA.—¿Yo?... ¡Qué ocurrencia!

SEBO.—No lo disimule. Mi mujer también se espanta.

LINFA.—*(Picado en su amor propio.)* Ahora lo verás. ¡Ponte en trance cuando quieras, Sebo! *(Al* MUCHACHO.) Y tú, apaga las luces y trae una vela. Yo cerraré la tienda... *(El* MUCHACHO *corre adentro y vuelve con una vela que coloca en el escritorio. Luego apaga las luces.* LINFA *cierra la puerta del negocio.)* ¿Se necesita una mesa coja?

SEBO.—Yo me arreglo con cualquier cosa. En la cárcel entraba en trance usando un cajón vacío. ¡Sentémonos! *(Se sientan.* LINFA *un poco asustado. El* MUCHACHO *muy excitado.* SEBO *posesionándose del papel de médium. Como si fuera un cuarto participante, el traje de* MANUEL *recorta su silueta negra sobre el respaldo de la silla. Un silencio.)* Se necesita un transmisor.

LINFA.—¿Un qué?...

SEBO.—Algo que haya pertenecido al difunto. Sirve para establecer contacto.
MUCHACHO.—¿Un hueso, por ejemplo?
LINFA.—¡Cállate!... ¿El zapato serviría?... *(Muestra el zapato de niño.)*
SEBO.—Probemos. *(Un silencio.)* ¡Hagan circular el trasmisor y repitan:

«Espíritus errantes,
espíritus dormidos,
vengan al instante
y hablen conmigo...»

LINFA.—*(Gogiendo el zapatito y dándoselo al* MUCHACHO.)

«Espíritus errantes,
espíritus dormidos,
vengan al instante
y hablen con..., con ellos...»

MUCHACHO.—*(Cogiendo el zapatito de manos de* LINFA.)

«Espíritus errantes,
espíritus conmigo,
vengan al instante
y hablen dormidos...»

SEBO.—*(Excitado.)* ¡Ya viene!
MUCHACHO.—¡Ya viene!
SEBO.—Shshshshsh... *(La vela se apaga.* LINFA *da un gritito ahogado en medio de la oscuridad.)* ¿Quién..., quién nos visita?... ¿Cómo te llamas?
KATI.—*(Voz indefinible.)* Kati.
SEBO.—¿Hombre o mujer?
KATI.—Perra... ¿Para qué me han llamado?
SEBO.—No te hemos llamado. Necesitamos hablar con otro espíritu.
KATI.—*(Rencorosa.)* Hace dos años que fui enterrada boca abajo por un miserable.
LINFA.—*(Reconociéndola.)* ¡Oh, si es Kati! Claro, la enterramos nosotros... *(Emocionado.)* ¡Kati!, ¡Kati! (KATI *ladra airadamente.)*
SEBO.—¡Retírate! Las líneas están cruzadas. *(Se escucha toda clase de descargas e interferencias. Fragmentos de conversaciones incoherentes que se van alejando.)* Concentrémonos de nuevo... Shshshsh...

«Espíritus errantes,
espíritus dormidos,
vengan al instante...»

(Es interrumpido por una carcajada de mujer.)

IRENE.—¡No me hagan cosquillas y déjenme hablar! *(Se ríe de nuevo.)*

SEBO.—¿Quién eres?...

IRENE.—Es triste que no la reconozcan a una, ¿verdad? De pura pena me río *(Se ríe de nuevo.)* Me llamo Irene Mardones Valderrama... Si quieren sentir una verdadera emoción existencial, muéranse. Lo más parecido a eso que yo había vivido fue el día que me llevaron de paseo al zoológico.

LINFA.—¡Es la jirafa!

SEBO.—¿Es posible?

LINFA.—Sí, la enterraremos mañana.

IRENE.—Sobre eso quería hablarles. Me niego rotundamente a que me metan envasada en esa estúpida caja. Es mi última voluntad. Quiero ser embalsamada. Si no hacen lo que les pido, los perseguirán todas las noches unas almas en pena de uñas afiladas que andan sueltas por ahí...

LINFA.—*(Asustado.)* ¡No, eso no!

(La risa de IRENE *se va alejando. Luego, toda clase de ruidos producidos por animales y fieras, como en una selva.)*

SEBO.—¿Es que no hay más que espíritus errantes de animales en la eternidad? ¿Y Manuel dónde está?...

LINFA.—No entiendo.

SEBO.—¿El qué?

LINFA.—Sólo acuden mis clientes.

SEBO.—El trasmisor no debe servir.

LINFA.—¡O el médium!

(Un resplandor azul muy tenue se empieza a concentrar sobre la mesa, dejando a los que están sentados en la sombra. Se empieza a escuchar el tema de MANUEL *y una especie de estertor o gemido. Luego una voz ronca dice:)*

VOZ.—Soy Manuel... Soy Manuel...

SEBO.—*(Excitadísimo.)* ¡Habla, Manuel! Te escuchamos... ¡Es él! ¡Es él!...

LINFA.—*(Tembloroso.)* Te..., te escuchamos.

SEBO.—Queremos saber qué te sucedió. *(Un silencio.)* Tu muerte nos impresionó, Manuel...

VOZ.—Estoy vivo.

SEBO.—¿Qué quieres decir?

VOZ.—El señor Linfa..., el señor Linfa está muerto.

SEBO.—¿Por qué?... ¡Responde!

LINFA.—Enciende la vela. Creo que conozco esa voz.

(SEBO *enciende la vela. La luz azul sobre la mesa desaparece lo mismo que el coro lejano. Se ilumina algo la escena. El* MUCHACHO *está rígido y habla como poseído.* LINFA *y* SEBO *se ponen de pie asombrados.)*

MUCHACHO.—¡Soy Manuel! ¡Soy Manuel! (LINFA *le da una bofetada en la cara.)*

LINFA.—¡Despierta, imbécil, que no eres el Manuel que buscamos!...

SEBO.—¡Un momento! Puede estar poseído del espíritu de Manuel... *(Hablándole al* MUCHACHO *con voz tensa de médium.)* ¡Manuel!... ¿Eres feliz?

MUCHACHO.—No lo sé.

SEBO.—¿Estás solo?...

MUCHACHO.—No.

SEBO.—¿Quieres dejarnos algún mensaje?

MUCHACHO.—¡He dejado rastros que no podrá borrar el señor Linfa! (LINFA *le da otra bofetada al* MUCHACHO.)

LINFA.—¡Cállate, pedazo de médium si no quieres que yo te haga morir de verdad!

(LINFA *enciende todas las luces. Con la luz el señor* LINFA *ha recobrado su seguridad.* SEBO *mira el zapatito y mueve la cabeza. El* MUCHACHO *parece atontado.)*

SEBO.—No comprendo.

LINFA.—*(Enojado.)* Yo sí. Eres un farsante, eso es todo. Deberías seguir haciendo espiritismo en la cárcel. Allí sí que puedes entrar en trance. ¿Sabes por qué no acuden los espíritus?

SEBO.—¿Por qué?

LINFA.—¡Porque apestas!... Y ahora, ¡desaparece! ¡No quiero verter más por aquí!

SEBO.—Págueme primero.

LINFA.—¿El qué?

SEBO.—El traje de Manuel.

LINFA.—¿Cuánto?

SEBO.—Mil... El espiritismo gratis.

LINFA.—*(Entregándole un billete.)* Toma quinientas y... ¡Lárgate!

SEBO.—¡Vaya agradecimiento! Ojalá lo asalten por la noche esas ánimas de uñas afiladas de que hablaba la jirafa. *(Mientras sale y en voz baja.)* ¡Roñoso! (LINFA *se acerca al* MUCHACHO *y lo observa con cierta preocupación.)*

LINFA.—¿Y a ti?... ¿Qué te pasó?

MUCHACHO.—No sé.

LINFA.—Escúchame: tú no conociste a Manuel, ¿entiendes? ¡Y las personas que uno no conoce «no existen»!

MUCHACHO.—No, señor.

LINFA.—La historia empieza ahora para ti, en el segundo acto.

MUCHACHO.—Sí, señor.

LINFA.—Coge un cubo y vete a limpiar la vereda, a borrar las huellas como tú mismo dijiste. Tienes razón, un hombre nunca se muere sin dejar huellas.

(El MUCHACHO *busca un cubo y un estropajo y sale a la vereda.* LINFA *entra en la sala de exposiciones de modelos. El* MUCHACHO *se pone a limpiar de rodillas en el mismo punto en que cayó muerto* MANUEL.

Se oye lejana la misma música del desfile del circo. El MUCHACHO *levanta la cabeza. Parece oírla. Escucha un momento con atención.*

Ahora la música se aleja hasta desaparecer.

El MUCHACHO *baja de nuevo la cabeza y sigue limpiando la vereda. Entra la* MUJER. *Delgada y con una expresión dulce en la cara. Sin ningún patetismo. No va de luto. Sus ropas son corrientes y usadas. Se cubre los hombros con un chal tejido bastante gastado. Parece serena. Se queda inmóvil en la vereda mirando el lugar que limpia el* MUCHACHO. *El* MUCHACHO *no la ha visto. Un largo silencio.*

Ahora el MUCHACHO *levanta la cabeza y la ve. Ambos se miran perplejos. Un momento mantienen la mirada el uno en el otro, finalmente habla la* MUJER.)

MUJER.—¿Usted es el señor. Linfa?

MUCHACHO.—No. Soy el dependiente. ¿Necesita algo?

MUJER.—¿Está el señor Linfa?

MUCHACHO.—Sí, adentro.

(La MUJER *camina hacia la puerta y ya casi al entrar se vuelve hacia el* MUCHACHO.)

MUJER.—Me parece haberlo visto antes.

MUCHACHO.—*(Incrédulo.)* ¿A mí?

MUJER.—Sí.

MUCHACHO.—No creo. Nadie me conoce. No salgo a ninguna parte. Sólo voy al campo de vez en cuando.

MUJER.—¡Qué raro!... Algo en su cara me resultaba familiar.

(Se produce otro extraño momento de misterioso reconocimiento. El MUCHACHO *rompe este clima agachándose a recoger el cubo y la bayeta.)*

MUCHACHO.—Creo que terminé. No me gusta limpiar las veredas. Estoy seguro que esa no es mi obligación... ¡Pase, señora!... Llamaré al señor Linfa.

(El MUCHACHO *entra al local detrás de la* MUJER *y entra a la sala de exposición de modelos.*

La MUJER *al entrar al local se queda un momento inmóvil y pensativa frente al traje negro de* MANUEL, *que aún está en el respaldo de una silla. Luego ve el zapato de niño que está sobre el escritorio. Lo coge y lo tiene aún en la mano cuando entra el señor* LINFA *apresuradamente.* LINFA *conecta el magnetófono. Se empieza a escuchar el Requiem. Luego se acerca a la* MUJER *con la mejor de sus complacientes caras de dolorida solicitud. La toma suavemente del brazo y la lleva hasta la silla. Habla en forma persuasiva como un psiquiatra en proceso de hipnosis. La* MUJER *parece desconcertada por esta amabilidad. Es evidente que el señor* LINFA *la confunde con una de sus clientes.)*

LINFA.—*(Aplicando sus fórmulas.)* Comparto su dolor, querida señora, sea cuál sea... No se preocupe ya de nada. Absolutamente de nada. Desde que traspasó esta puerta, nosotros nos encargaremos de todo para hacerle más llevadero su dolor y ayudarle a olvidar. Olvídese de todo..., de todo..., de todo... Su deber ahora es sobreponerse y abandonarse en nuestras manos. Diga conmigo: no estoy sola. Alguien se hace cargo de mi pena...

MUJER.—*(Emocionada.) No estoy sola. Alguien se hace cargo* de mi pena.

LINFA.—La escucho.

MUJER.—*(Confusa.)* Yo..., yo... no esperaba esto. Gracias, muchas gracias... Precisamente venía a pedirle que me ayude a darle sepultura.

LINFA.—*(Grave.)* Es nuestro deber. Nuestro oficio, más aún: ¡nuestra vocación!

MUJER.—Usted es muy generoso.

LINFA.—Efectivamente, lo que hoy resulta casi una excentricidad... ¿Qué edad tenía su deudo?

MUJER.—Treinta y cinco años.

LINFA.—A veces tienen larga vida estos animalitos.

MUJER.—Murió muy joven.

LINFA.—*(Asombrado.)* ¿Joven a los treinta y cinco años?... ¿Era una tortuga?

MUJER.—¿Qué dice?

LINFA.—¿Qué clase de animalito era?

MUJER.—Tranquilo. Siempre fue un poco enfermizo, desde antes de casarnos, pero no se le conocía ningún vicio.

LINFA.—Aunque no tuviera vicios no es corriente casarse con ellos.

MUJER.—Nunca me habló de su trabajo, pero yo creo que sentía una gran admiración por usted. A menudo decía que usted era la típica bestia que triunfa.

LINFA.—¿Quién decía eso?

MUJER.—Manuel.

LINFA.—¿Manuel?... ¿De manera que se trata de la sepultura de Manuel?

MUJER.—Sí.

(LINFA *ha cambiado instantáneamente, ahora su expresión es fría y malhumorada.*

LINFA.—¡Ah, no, señora! ¡Qué ocurrencia!... Su marido nunca tuvo consideraciones con los demás. Tuvo el egoísmo de morirse a mi puerta sólo para darme ese disgusto.

MUJER.—No lo hizo con mala intención, señor Linfa. ¡Discúlpelo!

LINFA.—*(Secamente.)* ¿Qué quiere?

MUJER.—Sepultar a Manuel.

LINFA.—*(Glacial.)* ¿Y bien?

MUJER.—No tengo recursos. Pensé que usted podría ayudarme ya que trabaja precisamente en servicios fúnebres y...

LINFA.—*(La interrumpe.)* ¡Qué lamentable confusión tiene usted, señora! Yo no tengo nada que ver con la sepultura de seres humanos. Me resultan insoportables. Tuve que aguantarlos mucho tiempo. No comprendo cómo no advierte la diferencia, aunque supongo que es una cuestión de sensibilidad. ¿Por qué quiere enterrar a Manuel?

MUJER.—¿Qué otra cosa puedo hacer?

LINFA.—Incinerarlo.

MUJER.—No. No quiero hacerle daño.

LINFA.—¿Daño?

MUJER.—No quiero destruir algo que era suyo.

LINFA.—¿Su cuerpo?

MUJER.—Alguien decide nuestra vida, estoy segura.

LINFA.—Nuestra muerte.

MUJER.—Sí, es lo mismo.

LINFA.—*(Mirándola con curiosidad.)* Me resulta bastante curioso que alguien quisiera a Manuel.

MUJER.—Traté de vivir con él sin hacer mucho ruido a su alrededor. Salíamos al campo, a veces, y nos quedábamos quietos, traspasados de alegría, pero sin hablar. Decidí casarme un día en que me sacó una pelusa de la ropa. Le vi la mano temblorosa y torpe y por eso supe que debía casarme.

LINFA.—Con eso no lo ayudó mucho, estoy seguro. Parecía siempre un perro cansado.

Y bien, de manera que ahora quiere hacerlo «desaparecer»...

MUJER.—No se trata de hacerlo «desaparecer», sino de buscarle un sitio donde pueda esperar.

LINFA.—¿Esperar qué?

MUJER.—Esperar. Todos tenemos que esperar.

LINFA.—Recién un espiritista piojoso lo llamó y no respondió.

MUJER.—Algún día responderá.

LINFA.—Perdone la metáfora poética, pero los gusanos no suelen esperar.

MUJER.—No debí venir. *(Hace ademán de marcharse.)*

LINFA.—Un momento. No se vaya todavía. Desde ayer por la mañana he decidido ser virtuoso... un hombre puro, y por esta vez voy a ser generoso. Un cliente encargó un ataúd un poco insólito pero el difunto ha cambiado de ideas. Usted sabe lo caprichoso que son los muertos. Se trata de una jirafa de cuatro metros setenta. Nos acabamos de comunicar con ella y prefiere ser embalsamada. Si usted cree que puede servir...

MUJER.—Gracias, servirá muy bien. Es mucho más de lo que yo esperaba... Con dos metros hubiera bastado. ¿Y la tumba, señor Linfa?

LINFA.—En los cementerios para animales domésticos siempre se encuentran rincones abandonados.

MUJER.—Gracias.

LINFA.—*(Meloso.)* Cuando se sienta sola venga a visitarme.

MUJER.—*(Con sencillez.)* No estoy sola.

LINFA.—¿Qué quiere decir?

MUJER.—Mi hijo. Manuel quería llamarlo Girasol.

LINFA.—¡Qué nombre! Había olvidado que Manuel solía comer esas semillas. ¿Sabe si las comió antes de morir?

MUJER.—No sé. ¿Por qué me lo pregunta?

LINFA.—Olvídelo... olvídelo. Ahora vamos a enterrar a Manuel. *(Para sí.)* ¡Un girasol brotando de el cuerpo de un hombre en un cementerio de animales! Sería horroroso, hasta inmoral. Habría sido mejor incinerarlo. La cabeza hueca de los fracasados ha sido siempre buen estiércol para los girasoles. En fin, no queda otro remedio... (LINFA *grita hacia adentro en la misma forma en que los camareros suelen pedir los sandwichs en las cafeterías.)* ¡Camarero!... ¡Prepare un sepelio de la casa a la plancha, con medio responso y sin acompañamiento!...

(Apagón breve. El cambio de escenografía debe ser muy rápido ya que el cementerio se presentará en forma muy simple y esquemática. Mientras dura el apagón se escucha la música de órgano que acompaña las ceremonias fúnebres. Luego entra el tema de MANUEL, *nostálgico y bucólico. Se empieza a iluminar muy lentamente el escenario casi vacío. Apenas algún elemento sugerirá el cementerio. Un mendigo está parado a un costado muy harapiento y desgreñado. La barba crecida de varios días. Tiene un tarrito en la mano con el que hace sonar unas monedas. Sopla destempladamente una armónica. Aparentemente es ciego, lleva puestas unas gafas negras.*

EVARISTO.—*(Dejando de tocar su horrible música en la armónica.)* ¡Mi señor, mi señorita, una ayuda para un pobre que está en la oscuridad...! ¡Mi señor, mi señorita!... En memoria de sus animalitos, una caridad para el no vidente... ¡Que descanse en paz el finadito!... (EVARISTO *sopla de nue-*

vo en su armónica. Entra SEBO *con su guitarra terciada, mira a todos lados y cruza el escenario hacia* EVARISTO. *El ciego, creyendo que es un visitante que entra al cementerio, deja de soplar y reanuda su cantinela.)* ¡Que tenga larga vida su merced y piadoso descanso el animalito!... ¡Por caridad, una perra gorda en su memoria!...

SEBO.—¡Evaristo!... ¿Has visto pasar al señor Linfa?

EVARISTO.—No he visto pasar a nadie por aquí.

SEBO.—Debe estar por llegar.

(SEBO *se acerca a la boca del escenario y mira directamente hacia el patio de butacas.)*

SEBO.—Para ser un cementerio no está mal todo esto ¿verdad?... *(Señalando las butacas.)* Los cadáveres están ordenaditos como soldados que quisieran jugar al golf en el césped recién cortado... ¡Tierra fértil la de los cementerios! En cambio mi mujer riega todos los días los geranios de la ventana y no ha conseguido que florezcan nunca. (SEBO *ahora camina por el escenario vacío.)*

EVARISTO.—¡Estás pisando las lápidas, Sebo! ¡Eso es un sacrilegio!

SEBO.—*(Mirando por donde pisa.)* Es verdad... ¡Hay tantas lápidas viejas cubiertas de hierba! Apenas se pueden leer las inscripciones. (SEBO *retira la imaginaria hierba con el pie. Lee):*

«Peregrino de este mundo
si pasas frente a esta tumba
reza una oración postrera
por mi gata vagabunda.»
1930-1942

(SEBO *se quita la gorra y mueve los labios rezando un momento. Lee otra lápida:)* «Aquí yacen los despojos mortales de mi inolvidable pájaro-cucú»... Ya era *hora* de que se acordaran de él. *(Lee otra lápida:)* «Cópernico, perro San Bernardo que salvó la vida de 40 personas y murió devorado por la 41»... *(Lee otra lápida:)* «Deidamia, cacatúa que llenó ocho años de mi vida»...

EVARISTO.—De día todo esto está bien, pero no me gustaría quedarme encerrado aquí una noche. Le tengo miedo a la oscuridad y, además, he oído tantos cuentos de animales aparecidos...

SEBO.—Pronto va a empezar a llover. No puedo esperar más. Creí que era aquí donde pensaban enterrar a Manuel.

(Entra en ese momento el muchacho. Muy nervioso y apurado. No mira a nadie. Parece que le hubieran dado cuerda. Lleva una escoba y un inciensario. Deja el inciensario en el suelo.)

SEBO.—Ah, por fin... ¿de dónde sales?

MUCHACHO.—Estoy muy retrasado. Yo tengo que hacerlo todo. Preparar el sepelio, maquillar a los muertos y hasta llorar un poco. El anuncio del periódico no decía ni una palabra de llorar un poco. No es mi obligación.

SEBO.—¿Dónde van a enterrar a Manuel?

MUCHACHO.—En la parte del cementerio destinada a los animales proletarios.

SEBO.—¡Qué delicadeza!

MUCHACHO.—Estoy muy retrasado.

SEBO.—¿Por qué se demoraron tanto?

MUCHACHO.—El señor Linfa se estaba probando la ropa.

SEBO.—¿Qué ropa? ¿Más ropa vieja todavía?

MUCHACHO.—No, el traje para la ceremonia.

SEBO.—No entiendo.

MUCHACHO.—Yo tampoco.

SEBO.—Va a llover.

MUCHACHO.—*(Le ruega.)* ¡Prométemelo!...

SEBO.—Te lo prometo. *(Un silencio corto.)* ¿Para qué querías que te lo prometiera?

MUCHACHO.—¿El qué?

SEBO.—La lluvia.

MUCHACHO.—No sé. Las semillas brotan en la tierra húmeda ¿no?

SEBO.—Sí.

(El MUCHACHO *se pone a barrer con una energía extraordinaria. Responde a las preguntas de* SEBO *sin dejar de barrer.)*

SEBO.—Eres un poco idiota, ¿verdad?

MUCHACHO.—El señor Linfa dice que estoy aprendiendo.

SEBO.—¿Aprendiendo qué?

MUCHACHO.—*(Muy serio.)* A sonreír. *(El* MUCHACHO *sigue barriendo.)*

SEBO.—¿Qué estás haciendo?

MUCHACHO.—La fosa.

SEBO.—¿Qué fosa?

MUCHACHO.—La tumba para Manuel.

SEBO.—¿Con una escoba?

MUCHACHO.—Es lo único que encontré a mano.

SEBO.—¿Vendrá pronto el cortejo?

MUCHACHO.—No hay cortejo.

SEBO.—Quiero decir el carro de las Pompas Fúnebres.
MUCHACHO.—No hay carro.
SEBO.—¿Quieres decirme que Manuel viene caminando?
MUCHACHO.—No. El señor Linfa viene caminando.
SEBO.—¿Y el cadáver?
MUCHACHO.—El señor Linfa empuja el ataúd. Es la costumbre en los servicios de segunda.
SEBO.—¿Tú crees que vas a terminar de cavar algún día la fosa con esa escoba?
MUCHACHO.—No.

(Se oye el tintinear de una campanilla acercándose. El MUCHACHO *deja de barrer y mira hacia un costado. En la misma dirección mira* SEBO. EVARISTO *toca la armónica. Entonces empieza a aparecer el extremo del ataúd de la jirafa. Se desliza en forma muy lenta, lentísima. Ni* SEBO *ni el* MUCHACHO *se mueven. La campanilla sigue sonando. El larguísimo ataúd se desliza cruzando lentamente todo el escenario. Tiene la forma del cuerpo de las jirafas, es decir, muy largo y estrecho y luego se ensancha hacia el final. Son cinco metros de ataúd. Ahora ya no se mueve.* EVARISTO *deja de tocar la armónica.)*

EVARISTO.—¡Mi señor, una ayuda para aliviar la suerte del inválido! ¡Una caridad a nombre de su cachorrito!...

(Entra la MUJER *seguida de* LINFA *que viste un brillante y espléndido traje de diplomático o de almirante entorchado.)*

LINFA.—¡Sebo! ¿Qué haces aquí?
SEBO.—Acompañar a Manuel. Nada más.
LINFA.—Ya ve, señora, vamos a tener hasta música. Eso no estaba previsto. Los funerales de segunda sólo tienen derecho a campanilla. ¡Vamos, canta algo Sebo!
SEBO.—No, no es el momento.
LINFA.—Claro que es el momento. Hay que alegrar un poco todo esto, que parece que se hubiera muerto alguien. A ver, cántanos «La dulce Emelina» o «El parricida Emiliano»...
SEBO.—En ese caso cantaré «El malpagado» en homenaje a mi amigo Manuel. (SEBO *toma la guitarra e inicia un rasgueo introductorio. Canta:)*

Madre, cuando yo me muera
no me entierren en «sagrado»
que me entierren en un verde,
en un verdecito prado.
No me traigan flores
no me traigan, no.
No muero de calentura
ni de dolor de costado

que muero del mal de amores
que es como estar apestado.
No me traigan flores
no me traigan, no.
Cuando todos los amigos
ya me tengan olvidado
a mí me estarán comiendo
los cocos y los gusanos.
No me traigan flores
no me traigan, no.
De cabecera me pongan
un ladrillito encarnado
con letras de oro que digan:
aquí muere el desgraciado.
No me traigan flores
no me traigan, no.

(La MUJER *ha estado silenciosa y quieta en un costado.)*

LINFA.—Muy bien, Sebo, muy bien. *(Le habla al* MUCHACHO.) Tú, anda a cambiarte de ropa que está por llegar un cortejo de lujo.

(El MUCHACHO *sale.* EVARISTO *al oír lo de un cortejo de lujo se le ilumina la cara.)*

EVARISTO.—¿Dije un cortejo de lujo?... ¡Alabado sea Dios! (EVARISTO *sale cojeando rápidamente.)*

LINFA.—*(A* SEBO.*)* Me alegro que hayas venido. Yo necesito siempre un público para mis elogios fúnebres. Es necesario pronunciar algunas palabras. Puedo hacerlo, señora.

MUJER.—*(Con sencillez.)* No es necesario. *(Luego de un silencio.)* ¿Dónde está?

LINFA.—¿Quién?

MUJER.—Manuel.

LINFA.—En el cajón, por supuesto.

MUJER.—Quiero decir... en qué parte del cajón.

LINFA.—*(Muy vago mostrando hacia la derecha.)* Por ese lado, creo... *(La* MUJER *va hacia la derecha.)*

MUJER.—¿Cómo reconoceré este lugar cuando venga?

LINFA.—El servicio para indigentes no incluye epitafio, querida señora.

SEBO.—Aquí hay una inscripción abandonada... *(Señala el suelo.)* Podríamos colocársela.

MUJER.—Sí, así sabré a donde debo ir a buscarlo.

SEBO.—*(Se agacha a leer la lápida.)* «Aquí yace mi compañero de soledad...»

MUJER.—Es un buen epitafio.

SEBO.—*(Continúa leyendo la inscripción.)* «... y de tantas cacerías. Atila, perro rastraeador muerto en 1912»... ¡Oh, quizá no sirva!...

LINFA.—¿Por qué?... Es casi perfecta. Imagínese, un perro de raza. Los animales saben morir. Se entregan a esta fuerza incomprensible, casi con una sonrisa... o un ladrido por lo menos. Son dóciles, desinteresados, y tienen el innato sentido de la dignidad. En cambio, es repugnante ver morir a un hombre. Aferrados hasta el último minuto a sus huesos y a sus harapos. Su mirada está llena de vergonzoso pánico. Me descomponen. Así fue con Manuel.

(Un silencio. La luz ha disminuido. Se ve un relámpago fugaz iluminar la escena. Luego el ruido de la lluvia. Todos los actores parecen sentirla. El vendedor se cubre la cabeza con un periódico. La MUJER *se cubre con el chal la cabeza.* LINFA *abre su paraguas.*

SEBO.—Empezó a llover. Me voy, señora. Sólo quería acompañar a Manuel por última vez. Ahora sé que encontró ya un lugar seguro.

MUJER.—Gracias. (SEBO *sale apresuradamente.)*

LINFA.—Insisto: es necesario decir algunas palabras.

MUJER.—Por favor, no.

LINFA.—Bueno, entonces voy a decir algunas palabras. (LINFA *se aclara la garganta y dice en forma solemne.)* «Emanuelis mortis dolce eternitatis» («Manuel ha muerto, dulce suerte eterna»)... Con las palabras del poeta, quiero dar el último saludo al hermano, al amigo, al inolvidable esclavo. Conocí a Manuel hace quince años. Nos unió un anuncio por palabras que publiqué en el periódico. Es para mí un alto honor y un motivo de acongojado orgullo...

MUJER.—¡Por una vez, quédese en silencio y mírese un poco! Le dará lástima.

(LINFA *no escucha a la* MUJER *sino que se sube arriba del ataúd de la jirafa y desde allí arriba sigue su discurso con el paraguas abierto.)*

LINFA.—Mi voz se quiebra al agolparse en mi memoria tantos recuerdos: Manuel sacando punta al pápiz, Manuel limpiándome los zapatos, Manuel moviendo la cola, Manuel parándose en dos patas... ¡Cuántos deliciosos momentos pasamos juntos! Pero Manuel vive y vivirá entre nosotros. Esta ha sido una ausencia corta que traerá muchas consolaciones... Es verdad que ya no volverá a alegrarnos con sus trinos desde su jaula dorada ni veremos su plumaje multicolor, pero su pequeño cuerpo reposa en paz... ¡Perdonen, señores, pero la emoción me corta las palabras!

(En ese momento entra el MUCHACHO. *Ahora va vestido de luto riguroso. Lleva una maleta también negra. El* MUCHACHO *aplaude al señor* LINFA.)

MUCHACHO.—¡Señor Linfa..., señor Linfa...! ¡Llegó el cortejo de Hipólito, el toro de lidia!...

LINFA.—*(Alarmado.)* ¡Y no hay nadie para recibirlo! ¿Preparaste la grabación en órgano de los pasodobles?

MUCHACHO.—Sí, señor.

LINFA.—¿Fumigaste la fosa?

MUCHACHO.—Sí, señor.

LINFA.—¿Preparaste los bocadillos para los invitados?

MUCHACHO.—Todo está listo, señor.

LINFA.—¿Mucha gente?

MUCHACHO.—Más de veinte autos.

LINFA.—¡Usaré entonces la capa Bestial!

(El MUCHACHO *saca una capa magnífica con forro de raso y ribetes dorados. Se la pone a* LINFA *sobre la espalda. Luego saca de la maleta un bicornio entorchado y se lo pone sobre la cabeza a* LINFA. *Tanto la capa como el bicornio lo ha sacado de la maleta. Ahora* LINFA *le entrega el paraguas abierto al* MUCHACHO.)

LINFA.—Pásame el blanco! *(El* MUCHACHO *le entrega una cajita de maquillaje blanco.* LINFA *se echa blanco en toda la cara.)* ¡El negro! *(El* MUCHACHO *le entrega una barrita.* LINFA *se pinta los labios con gruesos trazos negros.)* ¿Cómo estoy?

MUCHACHO.—¡Magnífico! (LINFA *ha tomado una tremenda dignidad. El* MUCHACHO *lo protege con el paraguas abierto.)* ¡Vamos a cumplir con nuestros caritativos deberes!

(LINFA *va a salir siempre seguido del* MUCHACHO, *que lo protege con el paraguas, cuando entra* PITA, *viste un elegantísimo impermeable y un pequeño paraguas. Está furiosa pero contenida.)*

PITA.—¡Antes de cumplir sus caritativos deberes, me va a hacer el favor de devolver inmediatamente el ataúd de Irene que le pagué por adelantado! (LINFA *ha quedado petrificado.)*

LINFA.—Han surgido inconvenientes y yo pensé...

PITA.—*(Interrumpiéndolo sin contemplaciones.)* Pensó que podía profanar impunemente un catafalco sellado.

LINFA.—*(Disculpándose.)* Antes de hacerlo consulté oportunamente a la interesada. Irene me dijo que...

PITA.—*(Interrumpiéndolo nuevamente.)* ¡No enlode su memoria y devuélvame el féretro!

LINFA.—*(Confundido.)* Me gustaría acceder a sus deseos pero no es fácil porque...

PITA.—¡¡Ahora mismo!!

LINFA.—Será necesario primero sacar... un cuerpo.

PITA.—¡¡Sáquelo!!

(LINFA *duda todavía. Avanza unos pasos hacia la* MUJER *y se detiene. Le habla nuevamente a* PITA.)

LINFA.—Irene es partidaria de la Taxidermia. Tengo testigos que pidió ser embalsamada.

(PITA *cierra su pequeño paraguas y se acerca amenazadoramente a* LINFA. *Mientras le habla le clava el paraguas en la barriga.)*

PITA.—Usted será el que terminará embalsamado si no devuelve lo que me ha robado.

(LINFA *se acerca a la* MUJER *y sin atreverse a mirarla dice:)*

LINFA.—Usted ve que no me ha faltado la intención.

(LINFA *abre una tapa en la parte del cajón que está junto a ellos. Se va a inclinar sobre él cuando la* MUJER *lo detiene con una exclamación amenazante y firme.)*

MUJER.—¡No lo toque!

(LINFA *queda con el gesto detenido. La* MUJER *se inclina sobre el cajón y cogiendo el cuerpo lo saca con dificultad. El cuerpo queda tirado en una posición desarticulada y grotesca, como un muñeco.* LINFA *empuja el cajón que se desliza lentamente hasta desaparecer. Mientras el cajón se desliza hacia afuera,* PITA *exclama con rencor:)*

PITA.—¡Dejar a una jirafa tirada e insepulta! Hay que tener el corazón de una hiena. ¡Exigiré una compensación!

LINFA.—La tendrá, se lo aseguro. ¡No faltaba más! *(Salen.)*

(El MUCHACHO, *que ha seguido a* LINFA *protegiéndolo con el paraguas, se ha quedado inmóvil mirando a la* MUJER. *Duda y, finalmente, va hacia la* MUJER *arrodillada junto al cadáver, y la protege con el paraguas. Se escucha un grito desde afuera.)*

LINFA.—¡Imbécil, el paraguas!

(El MUCHACHO, *sobresaltado, duda nuevamente y al fin sale lentamente mirando a la* MUJER. *La luz ambiente ha disminuido gradualmente. Una luz suave va concentrándose, poco a poco, sobre la* MUJER *y el cadáver a medida que ella habla. Se empieza a escuchar el tema de* MANUEL *en forma suavísima, casi imperceptible. El ruido de la lluvia. La* MUJER *se saca el chal y cubre con él a* MANUEL.)

MUJER.—Creen que estás muerto... Yo también lo hubiera creído antes, cuando no quería a nadie, cuando estaba seca como un cardo... Ahora no... Ahora sé distinguir la vida de la muerte. Supe reconocer la vida en tí y en mí, en el fondo de mí, escondida como la semilla de una fruta... *(Toca deli-*

cadamente con la mano el cuerpo.) Siento ahora mismo florecer en la punta de cada dedo un amor pequeño y vivo... *(Un silencio.)* Si sólo te pudiera enterrar con el amor con que se cubre una semilla... Si sólo tuviera fuerzas para enterrar tu cuerpo vivo... Si pudiera cavar yo sola un surco... *(La* MUJER *araña el suelo poseída de una especie de frenesí. Trata inútilmente de cavar un surco en la tierra. Jadea. Desiste y ahoga un sollozo.)* No... quizá no es necesario... quizá sólo debo hacerte dormir... Sí, sólo eso, dormir... dormir profundamente...

(La MUJER *inicia una canción de cuna con una voz tierna y conmovida mientras le acaricia la cabeza al cadáver.)*

MUJER.—*(Canta:)*

Eres un niño distraído
que arrastran de la mano
por la fiesta del mundo.
Duérmete, cariño...
El morir es como un puente
que va del hoy al mañana,
por debajo, como un sueño,
pasa el agua...
Eres un niño distraído
que arrastran de la mano
por la fiesta del mundo.
Duérmete, cariño...
En los ojos está el alma
¡a ver quién puede cogerla!
Cierra los ojos, mi niño,
que no se pierda...
Eres un niño distraído
que arrastran de la mano
por la fiesta del mundo.
Duérmete, cariño...

(Aparece el VENDEDOR DE FLORES. *Trae el canasto lleno de flores. Se acerca tímidamente y cogiendo todas las flores las deja caer sobre el cuerpo de* MANUEL.)

VENDEDOR DE FLORES.—*(Como disculpándose.)* Manuel me había dicho que si no las vendía que se las diera... ¡Qué lástima!... Con él enterramos las flores naturales para siempre... *(El* VENDEDOR *se retira silenciosamente. Desde afuera del escenario se escuchará su nuevo pregón.)*

VOZ DEL VENDEDOR.—*(Alejándose.)* ¡Flores artificiales! ¡Flores artificiales para los muertos! ¡Las nuevas flores de plástico!

(La luz concentrada que reciben la MUJER *y el cadáver de* MANUEL *se va extinguiendo muy lentamente. El tema de* MANUEL *queda flotando en la oscuridad.)*

FIN

INDICE

ESTE LIBRO SE ACABO DE IMPRIMIR EL DIA 14 DE SEPTIEMBRE DE 1967, EN LOS TALLERES GRAFICOS DE EOSGRAF, S. A. DE ARTES GRAFICAS, DOLORES, 9, MADRID.

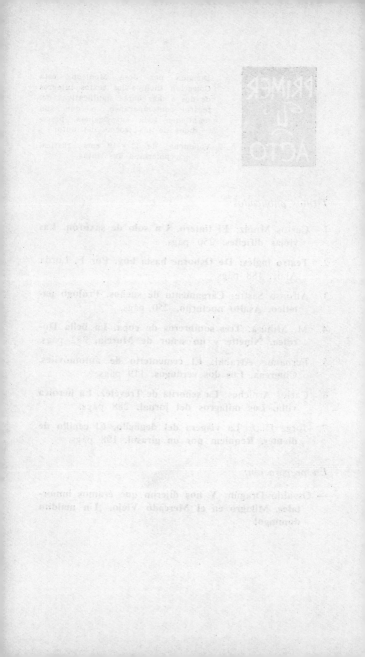